读客® 知识小说文库

读小说，学知识

历史上真实的鲁班，不仅是木匠祖师，也是暗器与杀戮机关的祖师爷。

# 鲁班的诅咒

## 2

圆太极 著

### 苏州园林风水阵

# 目录

# 第一章　冒死闯入机关重重的苏州园林

江南的宅子一般都讲究曲径通幽、以小见大，好些普通的江南大宅园林，里面的布置构造就如同个迷局子……陆先生走进后门的时候只看到了三个人，打头的鲁恩已经往前廊拐弯了。等他到了雨檐与前廊的连接处时，却只看到离他已经蛮远的鲁恩和鲁盛义在往池塘那边走，却不见了柳儿和五郎……

## 活坞头

江南的冬天比北方来得晚，但是这里的寒冷滋味却让好多北方人难以忍受。那是一种湿冷，那寒冷始终裹覆在皮肤上，并钻进毛孔直冷到骨头里。

北方大概在下雪吧，要不然不会连着几天的阴霾，让午后的姑苏城都显得暗沉沉的。

一条乌篷船绕了个弯，碰碎了岸边尚未融化的一些薄冰，转进了古老的山塘河。唐宝历元年，诗人白居易在苏州任刺史时，在虎丘与阊门之间开凿河渠，筑白公堤，即闻名遐迩的七里山塘。

“自开山寺路，水陆往来频。”如今的七里山塘已经没有当年诗中所说的那么繁华热闹，河道两边的房屋很是破落，显得有些萧条。

乌篷船推开墨绿色的河水，穿过山塘桥。船篷的帘布被稍稍掀开一些，一双明亮清澈的秀眸从帘布背后出现，长长的睫毛扑闪了几下，秀美的目光迅速在桥身上扫视一遍，应该是在寻找什么。

帘布随即放下，船篷里传出一个年轻女子的吴侬软语：“没有。”

“唔。”一个从喉咙里发出的低沉而简单的音。

船行得不慢，虽然划船的只是一个年轻后生，但从他粗壮的身材、肌筋凸暴的手臂就可以看出，他划得很轻松，甚至都没怎么用力。船行得很稳，控制得也很是到位，贴边抹角地在河道的一边行驶，总能巧妙地通过障碍，间隙仅有分毫。

船篷里传出一声响亮的咳声，是有人看出划船的在卖弄。

船慢了一些，也回到了河道的中间。于是船篷里传来年轻女子“扑哧”的一声轻笑。

又过了通贵桥、星桥、彩云桥。每次船过桥时，那双秀眸都会出来寻视一番，但每次进去都是回的“没有”。

过了彩云桥，船便一下子拐进旁边的一个小河道。这河道真的很小，比乌篷船宽不了许多，也不知道是流向哪里的。小河道两边的房屋倒是很齐整，而且大多是两层的楼堂。唯一有些不同的是这些楼的窗户都不是花格窗棂，而是整块的木板推窗。这一点与江南建筑的特征格格不入，倒有些像西南地区一些建筑的风格。

河道很短，只进去了六七个船位就到了尽头。这里就像是个水路胡同，而且是个死胡同。尽头处有个小小的石坞头，坞头上去是单扇的黑漆木门。门上没锁没把，因为这是宅子的后门，里侧有木横栅，平常时只能从里面开启和关死。

从风水学上来讲，好的宅穴周围应该有水，因为气是遇水而止、遇风而散。宅子藏风环水才能保富贵之气不散，但不是所有水形都是吉相，一般以宅前有圆形或半环形为最上，波形其次，直线形再次。如果是在宅子一侧，又是直线形，就为不吉了，富贵之气会随水流走。而像这样后门直冲水道的相形就是凶相了，一是宅中富贵不聚，二是因为水在五行属阴，直冲阳宅后门会带来诸多凶险。这家宅子这样布置，要么这宅中有更凶局相，要么这宅子是不住人的鬼宅。

乌篷船篷帘一掀，从里面钻出两个老人。年长些的是鲁盛义，他的面色苍白带些蜡黄，是伤后初愈的貌相。稍年轻的是鲁恩，他看着那扇小门两眼放光，一种抑制不住的兴奋和斗志在眼中涌动。

船恰到好处地停在坞头边，船头与坞沿间距离只有巴掌宽，且中间无丝毫水花儿溅起。

鲁恩轻迈步，想试探着登上坞头，却被鲁盛义一把拉住。鲁盛义在船沿边蹲下身子，细细打量坞头，不放过一块石头和一条缝隙。

“六角龟纹布石，龟纹透边框而外无挡柱。这是个活坞头。”鲁盛义轻声说道，“坎面虽然无扣儿，可是坞头往河里一陷，这水中就不知道会有些什么厉害玩意儿了。”

“那怎么上？”鲁恩看着并不很宽的坞头石面问道。其实这样宽度的石面，他可以纵身跃过。可是落脚时要正好站直在门前石阶上，还必须保证不会因前纵惯性撞在那门上，他思量着自己没这把握，而且门前的石阶有没有什么古怪也很难说。

这才真是叫“未跨尺二槛，已遇两头难”啊！

“柳儿呀，你来试试！”鲁盛义没理会鲁恩，他已经开始实施自己的部署。

“哎，阿爹，吾来。”随着这声甜脆软糯的吴语，从船篷里缓缓出来个年轻女子，正是那个拥有一双秀眸子，掀布帘寻看桥身的女子。她细高挑的身材，一身蓝印布细碎白花面子的宽松薄棉袄裤，脚下衲布底的蓝色软鞋。穿着像是乡下的采茶女，也像河上过日子的船妹子。她就是鲁盛义口中叫的柳儿——鲁天柳。

“恩叔叔，麻烦你托一把哉。”说着话，鲁天柳把大辫子梢咬在口中，稳稳地站在船头，双臂平张。

鲁恩双手握住鲁天柳的小腰，轻轻一提一推，鲁天柳就同一只用晒过三伏的麦管草填制的绣枕一样飞出，轻盈无声。

鲁天柳可以控制自己不偏不倚地直落在石阶上面，但石阶有没有什么布置她不知道。坎子行中，不知道是最危险的，所以她只敢落在石阶前的活坞头上。

活坞头的坎相应该是“浮石散，坞头沉”。既然知道了坎面会如何动，就容易应付了。这样的坎面儿一般没扣子[1]，也就没有总弦[2]和扣子节[3]，它只有实点[4]和缺儿[5]之分。知道路数的人踩踏的步子都在实点上，那这坞头和平常坞头就没什么不同。

鲁天柳不知道实点，她只好找缺儿。机关消息中所谓缺儿有两种，一种是布坎之人故意留下的退路，还有一种是这个坎面存在的缺陷。

鲁天柳找的只可能是第二种，她身子在快落下的瞬间突然提气、收腹、松膝，捏紧的双拳张开下压稳住身形。她的落脚点在坞头里侧靠近石阶处，一双脚掌都踏在石面龟纹和边框的交叉处。双脚刚着石面，整个脚掌面儿就使力内收，紧紧趴贴住缝隙两侧。同时左右腿也一起朝内侧用力，收拢住两腿间的几块浮石。

活坞头要散开下沉，必须是石面受力，推动浮石下压，将最外围的边框、浮石一层层推散，中间石块无外围浮石阻挡才会下沉。这种龟纹形石块因为接触的面多，所以摩擦力也比较大，而且排布的石块越多，叠加在一起的摩擦力也就越大。

现在鲁天柳便是利用这些道理，唯一不同的是她虽然选择的位置在中间，却是稍稍靠里。因为她想得更细，里侧的石台阶是无法移动的，那里虽然是活坞头的边缘，其实倒可以算是一个实边儿。

她脚下的石块虽然被踩得往下沉了一些，但由于她一双脚掌和两腿之间向内的收紧力，增加了石块间的摩擦，再加上鲁天柳身子轻盈又提气压形，她落在活坞头上的力道被外层石块间的摩擦力抵消了。

鲁天柳站在活坞头的石面上，随着河水的波动起伏，就像是一枝在风中摇摆的荷花。

---

1　坎面中设置的单个或者多个用来困杀进入坎面的人的设施和安排。
2　控制多重扣子的弦簧，也是控制整个坎面的部件。
3　又称弦子节，是让扣子动作的重要连接点。
4　与坎面的其他部分无异，只是不会触发扣子。设坎之人才知道具体的位置。
5　又称空儿。扣子的输出通道，扣子的边缘间隙。

现在她必须稳住身形弯腰或者蹲下查看石阶是不是有扣。她双腿用力内收，所以无法下蹲，她只能弯腰。这样弯腰也很艰难，从臀部往下都要提力，弯腰所需的力道就完全依靠腰椎和腹部的力量。

鲁天柳一双手臂展开，臀部高高提起，腰部下塌，使上身慢慢垂下。不知道是这样的动作太费力还是由于她太紧张，鼻尖和嘴唇边上起了一层细细的白毛汗。腰还没有完全弯下来，可是脚下的浮石却明显往外移动了一些，石面又往下沉了。

“提住气，不要松。”鲁盛义在轻声提醒。

其实不用提醒，鲁天柳已经意识到脚下有些松。于是，她张开嘴巴快速换气，同时也松掉咬在嘴巴里的辫子梢。落下的辫梢扫落在第二级的石阶面上。只听到“嘎嘣”一声，那石阶的阶面从里侧向外掀起，整个石阶面竖在了那里。

石阶面的边缘贴着鲁天柳的鼻尖擦过，力道很大，扇起的气流冲进她的口鼻，让她觉得有些呛。

这石阶面的力道确实大，因为它这样布置的原意是将踏上石阶的人掀飞到河里。幸亏鲁天柳还没有完全弯下腰来，要不然这么大力道的一下砸在头上，那就惨了。即使这样，鲁天柳还是吓得不轻，上身不由自主地抬起，脚下绷直使力，整个人又重新站直了。这是下意识的动作，身体各部分使的力乱了，大小方向都有所改变。

活坞头最边缘的两道框和最外边第一块浮石沉下了水面，整个坞头的石面已经依次向外围散开。

河水漫上来，已经靠近鲁天柳的布鞋软底。

“要散！”瓮声瓮气的两个字是划桨的那个壮实小伙脱口而出的，虽然话不多，关切之意却能明显听出。

鲁天柳忙一个转身，身子侧过九十度，手臂张开，双腿用力方向变成前后收。这样要比左右收力道来得大，而且她将左手中指和食指轻轻地搭在竖起的石阶面边缘上轻轻点压用以借力。

活坞头又稳住了，鲁天柳脚下的浮石又收回了一些，漫上坞面的河水又渗了下去。她回头对船上的人俏皮地笑了笑，撇嘴做了个怪样却没说话，一张脸憋得红扑扑的，那是怕一开口散了气就提不起来了。

船上的人都知道她在对谁做怪样。划船的小子垂下了头，没敢正眼看鲁天柳的脸。

竖起的石阶面在慢慢地收回，鲁天柳必须撤回手指，不然跟着石阶面往下就会被卡在石阶缝里。

"接着！"鲁恩说完话却没有马上动作，他等鲁天柳朝这边看过来后，才一脚将船头那个当小凳子的树桩挑过去。

鲁天柳明白是什么意思，右手一接，腕子一个翻转，将那树桩抄起，想都没想，一下子塞在阶面的空当里。石阶面被卡住，"咔咔"两声，那是机括停住的声音。她用手压了压树桩，觉得挺稳固的，便手掌一撑，身形轻轻落在树桩上。

第一节和第三节台阶是实点子，没坎儿。而坎面动了的石阶面其实是一块青灰色的铁板，面子和颜色做得和另外两道石面几乎一模一样，不凑近细看根本看不出。

活坞头这里的坎面儿清了。鲁恩回头对划船小伙儿示意了一下。小伙儿手中桨深深地探入水中，横着狠狠一带劲。乌篷船船身猛然横了过来，船的头尾牢牢地卡在两边的屋基上，堵住了整个河道。

船停住了，鲁盛义和鲁恩分别拎着木提箱和背筐纵身上了石阶。船篷帘子动了动，又钻出一个六十左右的老人，留着小山羊胡，那是陆仙德陆先生。外面鲁天柳这般惊心动魄地折腾，他却头都没探一下，这份心性着实稳当。

陆先生先把鲁天柳的背包扔上岸，鲁天柳一把接住，然后自己提了只小竹藤箱一个纵步也上了岸。刚踏上台阶就深吸两口气，这模样像是有气喘病。

划船的小伙儿一把就将一支撑篙从船头拴缆洞眼深深地插入河底，船定得更稳当牢靠了。做完这些，他才纵身上了石阶。上来时左手拎了个直筒筐子，右手还提了把水磨生铁杆的双刃朴刀，外形如同船桨。

从他纵身的动作可以看出，他的身法和鲁恩很是相似。的确，他们的功底路数本就是同个道道，因为他是鲁恩的徒弟关五郎。

## 九宫启

五人都身在石阶上面，这就让这宅子的后门口显得拥挤。鲁盛义警觉地抬头看了看后门的上方，这里是单墙一座，无瓦檐，无花框，里面靠近这后门也没楼厅。这才让他放下心来，仔细研究起面前的这扇黑漆单门。

门面看上去很光滑，光滑得找不到一条板缝也找不到一个钉眼。门上也没有扣环、拉把，就连门与门框之间的缝隙也抿合得严丝合缝，如同黏合在一起。

鲁天柳将手背慢慢贴近门板面，在只差一块铜板的厚度时停住，一动不动。这不是一只娇嫩的手，手心虽然没有厚茧堆垒，但却也有棱有线，健美红润。这手肯定经过修炼，具备一定的功力，否则不会悬停得稳若玉石雕塑一般。

大家都看着鲁天柳的手，没发出一丝的声音，生怕妨碍了她超常触觉的判断。

“是铁板门。”鲁天柳给了大家一个肯定的答案。

“这门别是闷口[1]，外边打不开。”五郎说话的声音嗡嗡的。

“呆了你吧，这里厢格（里面的）人会只做个闷口，那人丢得勒还不如扇自家耳光哉戴菜坛子游街嘞。”鲁天柳边说边斜了五郎一眼。

---

1　用门闩从内部闩住，外面无论如何也打不开。

“那、那……”关五郎“那”了两声没了后音儿。

鲁盛义回过头来，望着陆先生：“先生觉得会是个什么布置？”

陆先生笑了：“当家的明明晓得，却还要吾开口说出来。这样的长方形状上下走向，活杠应该横在中间。吾觉得应该是九宫格。是啥门吾就不晓得了。”

这五人之中，除了鲁天柳，陆先生也是说的吴语，另三人倒都是正宗的北腔，但他们之间的交流却没有一点障碍。

“五珠挂九宫，伊是‘悬珠九宫门’！”陆先生的话提醒了鲁天柳，她快口脆语脱口而出。

鲁盛义微微一笑，看着鲁天柳的双眼中满是怜爱。

鲁恩伸手从背筐中抽出一把砍刀，一把乌青厚背砍刀，没刀鞘，刀刃处有两指宽的软鱼皮护套保护，砍刀的刀身不算小，厚实沉重，而柄前的护挡却不大，刀柄也很短，刀柄尾部是个滑溜的圆铜球。

他单手将砍刀翻转上提，捏住刀背，用刀柄上圆铜球往门的左上角敲去。

“慢些哉！”陆先生制止了他，“莫急、莫急。这个顺序一错，珠落弦乱，这个门就打不开哉，那就真成了闷口哉。”

“对呀，先生，两、四为肩，然后落上九，挂三、七，一六八为落槽，中五闲格。”鲁天柳对九宫门的开启路数的确很熟悉。

“那个是木板门，这个是铁板门。”陆先生深深吸了口气。

“金、木倒行。先动下一，然后八、六足。”鲁盛义开口了，他要没有九成以上的把握是不会作出决定的。此时之所以能直接将解扣的步骤说出，是因为他年迈的记忆里有一部古籍。

汉代徐岳《术数记遗》[1]有云："九宫算，五行参数，犹如循环。"意思是说，九宫格是要与五行数相结合，才能正确推算判断。

鲁恩又望了陆先生一眼，见他没再说话，就将刀柄往下一落。这第一下轻轻敲在门下方的中间，然后是右下角、左下角。

大家都屏住呼吸，盯住这门有什么反应。眼睛看不到什么，耳中却听到有东西滚动的声音。声音渐渐变大，好像是滚动的东西在变多。

不一会儿那些声音戛然而止，再没一丝声息。

"一齐动五位闲格[2]的七、三方向。"陆先生说道。

鲁盛义从木箱中拿出一把宽刃木刻刀，与鲁恩点头会意了一下，木刻刀和砍刀柄同时落在五位七、三方向的外边上。

滚动的声音始终没再出现，却传来了物件儿的滑动声。门外几个人都熟悉这滑动声，这是门栅杠在移动。最后"咯噔"声传来，门栅杠到位了。

门无声地转开，没要外面的人推，而且开得很彻底，直到贴住墙。

门里是一条不长的过道，准确说应该是一道雨檐。这雨檐只延伸到左前方楼厅的前廊，但在和前廊衔接的地方，是个拐弯往花房去的巷口；另外可以清楚看到前廊花格子栅栏外有座一人多高的剑形假山石。

这样布置倒是很合吉相风水。后门进去肯定是后宅院，一般后院不做十字叉口，这样会冲了正房局相，所以这里的岔口只分了三条道。而前廊外的剑形假山石，斜锋正对着后门口，可以用来镇住阴秽。

鲁恩首当其冲，但步子走得很慢，每一步都很小心。他边走边解开

---

1　又名《数术记遗》，为东汉徐岳所著，录有十四种古算法。有筹算、太乙算、两仪算、三才算、五行算、八卦算、九宫算、了知算、成数算、龟算等等，而且基本都是心算的方法。

2　九宫是将天宫以井字划分乾宫、坎宫、艮宫、震宫、中宫、巽宫、离宫、坤宫、兑宫九个等份，横着数以"4、9、2"、"3、5、7"、"8、1、6"代替，当以五行为参数，在平面上设循环互动的机关时，只有正中的"5"位是闲格，对整个机关起不到作用。

砍刀刃口上鱼皮护套的黄铜鹰嘴搭扣，取下护套，这下砍刀刃口锋芒尽露，一道青光闪烁流溢。鲁恩左手再一晃，二指宽的软护套便缠裹在了手腕上。

鲁恩握刀的手势很特别，是后三指握住刀柄，拇指和食指曲八字状捏住护挡。由于刀柄很短，这样才刚好全部握住。可他这样的握法绝不是迁就过短的刀柄，而是为了方便地伸直捏护挡的曲八字，让手掌刚好滑过柄尾的圆铜球。他会使立手刀和垂手刀互换的春秋刀法，这样的握法能让他在战斗中瞬间随意变换立、垂两种刀法。

在船上的时候就可以看出鲁恩的斗志很是旺盛，此时握刀在手更显得神采飞扬。这个当年的铁血刀客，他手中的刀已经二十多年没喂过血了。所以他的眼睛如同那刀的刃口一样，闪烁流溢着缕缕青光，谁都能看出，他的眼光在强烈地渴望着些什么。

## 人踪无

二十多年前，鲁恩在浙江巡抚衙门做铁血保镖。当时的铁血队自上而下有三种级别：刀客、刀卫、刀手，鲁恩就是刀客中的佼佼者。他本就有家学功底，在铁血队又练了实战交兵中最有效最实用的刀法，每次出镖都有惊无险。

但是他在到福建接巡抚老爷家小途中，遇强盗袭击，杀斗中他误伤了奔逃的大公子。到杭州后，大公子伤重不治，鲁恩便也死罪难免了。

当时鲁盛义正好到杭州拜望风水大师定无疑，应巡抚大人之邀两人同到宅居查看风水。鲁盛义看出了巡抚宅居构筑中有恶破[1]，并从正厅头梁上起出了五支锈迹斑斑并锯断钉尾的棺材钉——五毒绝后钉。鲁盛义分说了其中的厉害，将公子之死移嫁于这恶破之上，这才解了鲁恩死罪，改作驱回原籍。

鲁恩是个血性汉子，他觉得命是鲁盛义给的，从此便跟了鲁盛义。并把原来的姓氏也改了姓鲁，再以单字“恩”为名，这样既表示了自己知恩图报和对鲁家的忠心，同时也免了给原籍所属官府递复驱回公文的麻烦。

跟在他身后的是鲁盛义和鲁天柳。鲁盛义始终超前鲁天柳半步，这

---

1 风水学中将影响到整体格局的位置叫“破”。“破”有自然形成的，也有人为设置的。此处的恶破就是指人为以歹毒诡异手段，在关键之处安设下破坏别人家风水格局、家世运道的设置。

是他的习惯，他要随时保证鲁天柳的安全。这习惯出于亲情和爱心，本无可厚非。但说实话，鲁盛义心底对自己为何会如此执著地守护这份感情，也很是茫然。

鲁一弃和鲁天柳在他看来都是上天赠给他的宝。他和大哥破水中“百婴壁”，中绝后蛊咒。蛊咒未除，上天却偏偏给他两个宝贝儿女。亲生的儿子鲁一弃，肯定是个宝，他却不敢留在身边；而这个捡来的女儿，也是个宝，他却不能离了身边。

那年送走鲁一弃后，陆先生演算伏羲八卦，卦象说西南木旺，将出奇材，日后也许有用。于是他只身遍寻西南，却无所得。

这天来到大理，应天龙寺无由法师之邀，为其禅房刻“观音说法辟凡尘”的木壁拜龛。当刻到观音手捻的柳枝时，门口出现了一个五六岁模样的女孩，穿着褴褛，满脸污垢。

女孩盯着桌上碗里鲁盛义未吃掉的面饼，怯怯地开口道：“阿爹，我饿。”

这句话让鲁盛义心中一阵酸痛，手中刻刀微抖，刻破了柳枝，也刻破了手指。

一滴血珠子掉落在那柳枝之上，一起掉落的还有一滴男人泪。

此时在庙内的普济大殿上，无由大师正口诵佛号朗声念道：“无由即天由，断柳即天柳；天意即人意，天女即汝女。”

于是西南之行鲁盛义带回个女儿，取名叫鲁天柳。鲁天柳当时也不知自己是从何处流浪到大理，也不知自己是多大。鲁盛义便定她与鲁一弃同岁，生日也定在同一天。

刚进到门里时，鲁天柳本来是紧随鲁盛义身边的，后来渐渐落在后面。并不是她赶不到前面，而是她故意放慢了脚步，因为她边走边在聚气凝神保证自己的三觉清明，以便关键时能派到用场。

什么是三觉清明？鲁天柳的听觉、嗅觉和触觉有奇异之处，她只要凝神聚气、心力集中，这三觉便可以感知到蚁行草长气漫石味，还可以发现一切污秽怪异之象物。因为有这超常能力，所以她练的是鲁家六合之力里的“辟尘[1]”一技。

她悟性很好，学“辟尘”之技没多花什么心思。后来随着年龄增长，她渐渐意识到自己的三觉感触到的东西中有些不是“辟尘”功法可以解决的，于是她便整天缠着陆先生学“布吉[2]”之技和天师法，与陆先生在一起时间长了，学了一口的吴语侬音竟比陆先生还地道。

陆先生早年在龙虎山学过天师法，虽然只得些皮毛，但对付一些魑魅魍魉这样的小鬼还是绰绰有余的。但鲁天柳并不满足，她甚至还跟着陆先生上了趟龙虎山，说是要学更正宗更玄妙的天师法。

陆先生带鲁天柳在龙虎山只待了七天就回来了。龙虎山的那几位神仙般的老道都挺喜欢鲁天柳，可就是不教她天师法，只说些八卦易数、奇门遁甲、异物奇遇之类的东西给她听。因为老道们都说她不用学，她隐隐间已现出碧眼青瞳相，道家与中医都有论言：“碧眼青瞳是神仙。”所以鲁天柳至少是个半仙之体，一般小鬼妖孽见了都要躲避。鲁天柳觉得这是老道们惜技的托词，但回头想想自己一个女孩子，学请神驱鬼的道道也的确不合适，便就此作罢，不再强求。

江南的宅子一般都讲究曲径通幽、以小见大，好些普通的江南大宅园林，里面的布置构造就如同个迷局子。在这样风格的宅子里不管是布坎排扣，还是暗算偷袭，都是针对第一个和最后一个下手，不会先动中

1 是指驱除污秽之物。这一工贯穿整个修建的过程，每个环节都有可能有意或无意间遗留破败之处，要用此工进行驱除和弥补。特别是在完工之后，要对整个构筑的各个部位进行清扫。要清扫的有灰尘污秽，也有各种破坏整体风水吉相的暗破明冲。所以这一工要求会轻功，这样才能在建筑的各个部位上下自如。

2 这一工其实就是看风水、定位置。如果有什么危害风水吉相或者格局本身存在不足的，可以采用某种手段来弥补，需要风水学和建筑学相结合的知识。还有就是在建房的整个过程中，每个需要用仪式来保证风水格局吉瑞的环节，都由布吉一工来完成。

间的。因为这里的路径短，曲折多，遮掩巧，前面的已经拐弯好几步了背后的还不一定能跟上。后面的到了拐角，要细看一番才能辨出前面的走的是哪条道，有时候虽然看到人在前面，可脚下的路却不一定能走到那里，会有小湖、断桥阻路，要从旁边绕过。只有中间的人能始终呼应到前后，同时前后也总有人能将他照应到。所以关五郎本想断后，被陆先生拦住。

陆先生知道关五郎虽然勇猛强悍不畏生死，但他心眼太实，容易上当。要让他断后的话，只要是一个落单，肯定会被套了扣儿。

于是关五郎走在了前面。他将圆筒篓子斜背在背后，手中紧握水磨铁的刀柄。虽然五郎是鲁恩的徒弟，却不会使立、垂春秋刀法，这和他的悟性、体格有关系，也和他的性情、为人有关。

五郎在运河边拉纤时才九岁，饭量就已经是成年人的两倍，他背后的纤绳也比其他人拉得都紧。这个自小就失去父母的孤儿虽然天生神力，却并不是个很好的练武材料，他的心眼太实，缺少灵性，倒是很合适修习鲁家六合之工中“立柱[1]”一技。

关五郎平时很用心也很拼命，能到鲁家他觉得这是他的福气，他总是努力地将交给他的每一件事都做好。

鲁恩根据他的特点让他练朴刀，并教给他变化很少的“圈儿刀”，这刀法江湖上也有叫做“旋风杀”的。其实这刀法就连鲁恩自己也使不好，它一是需要力大，还有就是要求刀手不容易转晕。而这两点五郎都符合，他不仅天生神力，而且生下来就在船上过日子，风浪已经让他不知道晕眩是怎么一回事了。

陆先生走在最后头，神情中充满自信。他这辈子就觉得自己是个有

1 不管哪种建筑，在定基之后首先要将各个关键部位的承重柱体立好。这样才能进行下一步的修建程序。古代建筑的立柱更加讲究，立柱的位置第一要应和布吉、定基所确定的风水方位。然后从立柱的角度位置、相互间的距离确定立柱的大小和材质，从而确定整个构筑的用材。当然，稳固是第一位的。

本事的人。可是一个游荡在市井间的风水先生，修习的本事又都是些古老陈旧的技法和方术，那些真正的高人认为他是半吊子，外行又觉得太老套没什么用处；特别是到了民国后，好多人都宁愿相信那些西方的星座命理，所以这辈子认同他的人并不多。但人生总有一二知己，在他看来，自己真正的知己只有两个。鲁盛义算是一个，但准确点说鲁盛义更像是兄弟，是自家人，特别是这二十年在鲁家的日子里，他真就把那里当做自己的家了。而另一个真正算得上知己的，他只是藏在心里，从没对谁说起过。

鲁家六合之力中“布吉”一工的招法路数与陆先生所学技法和方术很是合槽。“布吉”中的寻穴、择时、藏宝、改相等手脑齐用的智工路数，让他的才能得以施展。

陆先生在鲁家已经许多年了，所有人都对他很是尊敬，当他是老师，更当做家人。他在这里找到了久违的快乐和情感，知遇之恩和友情亲情各占一半。

走进后宅门之前，他掏出怀中遁甲盘看了看：九星主天卫星，宜报仇解怨、施恩交友。八门为惊门，宜捕捉盗贼、兴讼、谋诈、设疑。他不知相数上是鲁家有利还是对家有利。测语有些矛盾，就如同他暗藏在心中的矛盾一样。

陆先生走进后门的时候只看到了三个人，打头的鲁恩已经往前廊拐弯了。等他到了雨檐与前廊的连接处时，却只看到离他已经蛮远的鲁恩和鲁盛义在往池塘那边走，却不见了柳儿和五郎。他没太在意，因为这很可能是自己与鲁盛义之间还有一个弯道，还要多拐个弯才能看见。

鲁盛义这时恰好回了下头，看到远远跟在背后的陆先生，脸色顿时变了。他没作声，也没继续前行，站在那里，一直等陆先生赶上了他。陆先生的脸色也变了，因为他走的是一条直道，没有拐弯。这就意味着鲁天柳和关五郎不见了。

在这种地方，人莫名其妙不见只能有一个合理的解释，踩坎落扣了。可是让人意外的是，这里的坎面怎么会将中间的人收了扣儿，而且把两个大活人收得无声无息。这到底是如何布置的一个坎面子，手法不合常规。可不管合不合常规，那坎面儿却是匪夷所思地达到了效果。

“你们继续往前，我留下来找。”陆先生觉得，鲁天柳和五郎对他来说很重要，他这无家无后的人这些年的快乐都是这两个孩子给的，他们之间有些东西难以割舍。

鲁盛义没说话，他目光中那股坚毅重新将情感淹没。等他断然回转身时，才发现鲁恩并没有停住脚步，他早已经沿前面的鹅卵石铺就的花荫小道拐弯，消失在一座假山后面。

鲁恩始终没有回头，他全神贯注地注意着前方，根本没注意后面。这也难怪，他的任务本就是开道，而且后面有那几个主儿在，也确实不需要他再分神。

转过假山后有几株大树，让园子的这一处显得分外阴沉。花荫小道连续出现了几段朝下的台阶，鲁恩小心地走过，来到池塘边的一处小楼前。这楼真的很小，上下只各有一间房，两层房朝池塘那面都稍呈弧形。楼下池塘一面有个两丈见方的石头平台，挑出水面。楼顶有伸出的飞檐，楼层间也有飞檐。飞檐下都挂着牌匾，上面的一块写着“观明阁”，下面一块写着“戏涟台”。

鲁恩站在楼前还是没回头。他这样一个当年的铁血刀客难道连自己背后没有一个人跟上都察觉不出？

是的，他不知道。因为直觉告诉他，背后一直有人在跟着。虽然他们进来后都把步法身形放得很轻，不容易听到，但只要是稍有响动，总逃不过鲁恩的耳朵，所以他知道，从进后宅门开始，后面紧跟着的人步法动作就没变过，轻重也始终如一。最重要的是，这样的步法身形他非常熟悉，熟悉得就跟自己的一样。

鲁恩又往小楼那里紧走了几步，站在池塘边一棵大树旁。从这个位置可以透过花格窗棂看到小楼一层里面的一切。这屋子虽小却很讲究，屋里有生漆雕花的红木桌椅，两面还有贴边放置的红木长几。屋子三面有窗，朝向池塘的那面除了窗户之外还多一扇八格镶玻璃小门，从这门可以下到靠近水面的石头平台上。一层二层的窗户都镶了多色玻璃，一般人家不会采用这样奢侈的做法。

屋子的窗户和门都没关死，一股越过池塘的寒风吹得两叶推开的窗棂晃晃悠悠，上面的多色玻璃也随着这晃动闪闪烁烁。

鲁恩的眼睛往那玻璃窗上扫了一眼，顿时感觉脊梁上寒气直冒，浑身的汗毛倒竖。他以为自己看错了，于是双眼再次在窗玻璃上仔细扫视了一番。结果让他恐惧地朝前连走几步。背后的脚步声还是紧紧跟上，比刚才距离更近了。

鲁恩觉得脊背寒气直冒，从头发里溜出的冷汗珠子像个虫子似的爬进了后脖颈。

窗户玻璃里的倒影否定了鲁恩的听觉，他的背后什么人都没有。

鲁恩真的感觉到了恐惧，不同一般的恐惧。他曾是个刀头上舐血的人，多少生灵在他刀下变作鬼魂，所以他不相信也不惧怕什么脏东西，何况现在是青天白日。

他曾经见过鬼，是在太湖边一座废宅中。陆先生又是烧香念咒又是画符洒血，最后从正厅前的台阶下起出一个骨头坛子，这就是他见到的鬼。如果陆先生早说出穴点，他几锹挖出坛子取出压在坛子下的镇宅宝贝不就完事了吗，要费那许多工夫干什么。

既然不相信鬼那又为什么恐惧？是因为他确信背后是个人，一个能要他命的人。

鲁恩的恐惧促使他继续往前迈动步子，他要离背后的人远一点，他要找到一个对自己有利的地方。

背后的声音始终跟着，并且距离继续缩小。

鲁恩突然意识到什么，背后的身形步法他真的非常非常熟悉，熟悉得就像他自己的一样。

鲁恩的眼皮突突直跳，没错，那就是他自己的身形步法，自己的背后怎么会跟着个自己？！

鲁盛义转过假山石，他没看到鲁恩，倒是有一条往下的花荫小道拐进了假山底部的石洞。石洞口不高，成年人要低着头才能进去。洞里的路也很窄，刚够一个人通过。

鲁盛义是建宅的高手，他知道，苏州园子里都讲究叠石理水，水石相映，以构成园子的主景。且不说那水，就说这怪石假山：苏州依临太湖，太湖产奇石，玲珑多姿，植立庭中，可供赏玩。宋朝往后更发展为叠石为山。石头本就形奇，叠石成山也要顺应石头本身的奇巧玲珑，所以虽然这假山洞口矮小，洞道狭窄，进去后两三步可能就是别有洞天。

但鲁盛义奇怪的是鲁恩为什么没等他就自己先进去了。这样的假山洞内就算没坎没扣，单是凭借石头的造型和石块的空镂，也是个偷袭的绝佳场所。

鲁盛义将木提箱提起，护住胸前，另一只手持宽刃木刻刀，微曲双膝，迈小弓步往洞口闯入。他用这种步法进入洞口可以不用低头，而且两腿之间距离放大，一只脚尽量靠前，这在《遁甲·无计篇》[1]中叫做“壁虎倒行”，好处是如果踩到什么坎面儿扣子，崩弦落扣的时候，人的身体还没到扣点，这样就伤不及要害，留下逃生的机会。另

1　明末浙江一个落第秀才所著，不知其名，只知其号为“隽乐山人”。其实书中内容并非其所创，只是对古代今朝各种奇门遁甲运用方法的收集整理。而《无计篇》收录的都是在无计可施的困境下舍小存大，全命而逃甚至反戈一击的典例。

外就是真要被什么坎扣锁拿住的话，在必要时还可以像壁虎弃尾那样舍腿保命。

鲁盛义走入了阴暗的假山洞口，就如同被一个怪兽的大嘴吞没了。

## 鸟逞凶

快走到雨檐和前廊的交接处时，鲁天柳回头望了五郎一眼，五郎不由地快走了两步，来到鲁天柳的身后。

等他们一起往前行时，前面的鲁盛义早已经拐弯，进了前廊。他们也跟着拐过楼角进入前廊。进了前廊才发现，这廊道是个隔断廊，靠他们这一边半间房长度的位置有一道雕花梨木立壁。这立壁将整个前廊从此处分割成两段。他们这边一段很短，只有半间房。廊外是花圃，立壁左面的墙上不全是窗棂，还有个小门，应该可以从这门进到楼里。这样的隔断法看来是要把这边的小段前廊做成一个过道。

他们依旧没看到鲁恩和鲁盛义。于是两人快步跟上，走进了面前这座两层楼厅。

刚进到楼里，那两扇花格漏门便轻悠悠地虚掩上了。这花格漏门跟一般的门不大一样，花格很少，也很靠上，只有整扇门上部的三分之一，下面整板部分反倒有一人多高。

这楼厅里很是阴冷，光线也暗，空气中弥漫着一股发霉的味道。这种味道在冬天的房子里很少可以闻到，除非这房子已经多年没有人居住了。楼厅里的家具很全，都是一些造型简练、工艺牢固的明式老家具。透过漏门花格照进来的斑驳光影落在这些家具上，让它们显得更加陈旧和古老。

只有家具，却没有人，没有鲁恩和鲁盛义，陆先生也没有从背后跟进来。

“这里是偏厅，吾到堂前间瞄瞄。”鲁天柳嘴里说的堂前间就是正厅或者堂厅。可这座楼是后院的一座独楼，应该是这园子的戏楼或者书楼，而不是宅子的几进连房的正楼厅，所以就管它三开间结构的中屋叫做堂前间。

鲁天柳的话五郎从来都只有听从的份，所以等鲁天柳已经从旁门进到堂前间好一会儿了，他还站在原地没敢动弹。那是因为鲁天柳没让他跟着，但他还是忽然间意识到什么，急忙回转身来，伸手去拉那虚掩的花格漏门。

陆先生明明看到鲁天柳和关五郎往前厅方向拐过来的，可是现在却瞬间不见了。他往回走过来，在这三开间的楼厅前站住。这座楼没有横匾，只是在正屋八门的两侧立柱上挂了一副对联：“一声唱媚满江河海，三杯茶香落日月星。”从这对联上来看，这里应该是个戏楼，是主人邀亲会友品茗听戏的地方。

他走到门口，发现这八扇门都没搭扣。那么这门肯定是开着的，要么就是从里面闩住的。他打开藤箱，从里面拿出一个铜摇铃。这个和酒瓶差不多大小的铜摇铃是个“摄魂死封铃”，什么意思呢？就是说，铜铃里的撞球在两点上固定住，这样铃铛摇动时是没声音的。不，应该是这铃铛摇出的声音人是听不见的，只有鬼才能听见，少数一些具有特异听觉的动物也能听见。因为撞球虽然在两点上固定住，但摇动起来还是有极微小的震动，这样就会发出类似犬笛那样的超声波。

铃口的边缘是锋利的刃口，陆先生从来没觉得这刃口能派什么用场。他只会些三脚猫的功夫，是在龙虎山学法时，那些道士高兴时你教一招、他教一招拼凑起来的。他从没觉得自己这些是真正的技击功夫，要教训教训那些街巷中的地痞流氓也许还能凑合。下山时，老道士们也觉得有些过意不去，就送了他这么个铜摇铃，叫他在紧急时用这做武器，按天师法中收魂法的摇铃路数格击。这招数有没有用陆先生并不知道，因为他这辈子就没打过架。

陆先生对准立柱站立，这是个相对安全的位置。再侧身把手伸出，用铜铃推了推最旁边的门，没动。于是他横向移动了一步，又用铜铃推了推第二扇门，还是没动。就在他要继续下一步的行动时，“扑啦啦”一阵羽翼扇动的声音，通往花房的岔道口有团黑乎乎的东西径直朝他飞过来。他赶忙一个斜侧，那东西从离他挺高的地方飞了过去，可是飞过的同时却丢下一些东西落在他的脖颈处。

陆先生慌手慌脚地站直身子，回头望去，飞过去的那团黑东西正扇动翅膀，在空中调转方向。陆先生看清了，那是一只黑色羽毛的鸟儿，黄嘴黄爪黄眼睛。他对鸟不是太懂，但他以前见过那些用鸟儿衔签算命的同行有这样的鸟，好像叫蜡嘴鸟。这种鸟的喙粗短且坚固有力，特别能啄咬。它在空中可以快速转换方向，很是随意和灵活。

其实这世上没几个人知道这鸟。眼前这鸟叫瞿雎，是极具灵性的怪鸟。外相和蜡嘴鸟很像，但实际上有很多区别，据说早已灭迹不见了。

《上荒禽经》[1]有记载：“沿水有鸟焉，其状如乌，喙、足、眼黄，善啄，喜食尸脑毒物，是名曰瞿雎。”

可在陆先生的眼中它依旧是蜡嘴。那蜡嘴在空中已经掉过头，再次朝陆先生直冲过来。陆先生这次是正面朝着那只扁毛畜生，所以他看得很清楚，这次是要啄他的眼睛。

对于这样的攻击，陆先生只能还是一个弯腰低头躲过。可这次与

---

1　此书为无名氏所著，是一个民间传说的收录集，讲述的都是古时怪鸟的故事，其中还有许多内容与《山海经》雷同。九头鸟、精卫填海、射九乌的故事都在此书中收录。有宋代木印版，民国时还可在一些古玩店中找到，解放后便不多见，只有极少的私人收藏。破四旧后，连私藏也难留，所以在古籍收藏界里价值极高。

第一次不一样了，他弯腰低头，那蜡嘴鸟竟然也随之下落低飞，他这一躲的幅度比第一次大，反倒是险险地躲过。蜡嘴鸟紧贴着他的头顶飞过去，轻巧地收翅落在一只平伸着的手背上。

一只洁白的手，修长的手指，优雅的手形，黄嘴黑毛的鸟儿落在上面一动都不动，就像是一座温润的青田石雕。

只看得见手，却看不见人。架鸟的人被栏外的剑形假山石遮住了。

陆先生深吸了两口气，摸了摸蜡嘴鸟丢在他脖颈处的东西，湿湿的，黏黏的，一股刺鼻的味道。陆先生自嘲地笑了笑，他知道这是什么，鸟屎！这扁毛畜生倒还懂得以势取人，先不啄你，先拉你一头屎，恶心恶心你。

陆先生看着那手，他知道那是对家的人。对家的人出现了，就意味着他们已经知道鲁家人来了，而且该布的坎都布了，该撒的扣儿也都撒了。现在到了各凭技艺本事的时候了，生死在两可之间，也在眨眼之间。同时，这也是最后的警告，怕死的话，现在走还来得及。

陆先生自嘲的笑一直就没有消失，并且朝那只手缓步走去。只是缓行的脚步越来越不自然，呼吸也开始急促起来。

蜡嘴鸟头一伸，背一弓，脚一蹬，又再次径直朝着陆先生冲飞过来。陆先生还是弯腰低头，但他多加了个动作，弯腰的同时他还朝左侧跨步。

蜡嘴鸟的飞行速度比刚才快多了，方向的改变也比刚才迅疾。幸亏是陆先生往左跨出了一步，这鸟才和他的脸成平行状，贴着他的右脸颊飞过去。他不但感觉到翅膀带过的风，也感觉到羽毛拂过的柔软。他知道，要是不侧躲的话，他的眼珠就可能已经少了一只。

陆先生没敢停步，径直纵步冲向那剑形石头。

其实在那鸟儿脱手飞出的瞬间，一个青色的身影已经无声地朝花房那边隐去。虽然陆先生在慌乱地躲避鸟儿，但恍惚间还是看见了那身影。就是这身影！陆先生知道，要找到鲁天柳和五郎就必须抓住这个身影，要保证他们此行无恙也必须抓住这个身影。

陆先生便随之一起隐入了花房巷子中的淡淡雾气里。

# 第二章　吴舞伕：如影随形的暗杀舞者

“吴伕舞”是吴地的一种舞蹈，表演这种舞蹈的人被叫做“吴舞伕”。“吴舞伕”都有很好的观察和模仿能力，他们可以一眼之下就模仿出别人的动作，并且身形特点、轻重缓急无不到位，跟在人后就如同那人的影子……

## 弦音寻

一阵琵琶的弦动声从戏楼的二层传到下面的堂前间，琵琶的声音很清脆悦耳也很急促，就如同盛夏的雨点，也如同五郎的心跳。

弦声渐渐慢了下来，雨点渐息了，五郎的心跳声也在减缓，突然间那心跳仿佛停止。

雨息了，风却来了。一阵忽然卷起的银色狂风，笼罩了整个厅堂……

关五郎刚刚才意识到陆先生没有跟上来，他赶紧回身去拉那两扇虚掩的花格漏门，这才发现，那门扇虚掩的样子其实就是关死，此时用再大蛮力，都没法子扯开机括打开门扇了。

五郎没有费力继续拉门，而是两三个纵步冲进了堂前间。任何情况下，他首先考虑到的是鲁天柳的安危。

这堂前间和一般的正厅没什么两样。也是只有太师椅和茶几、供案之类的，有所不同的是在楼厅的构筑上，此厅内比一般正厅多了四根立柱，分列在厅堂的两侧。这大概是因为此楼是用作戏楼的，而戏场放在二层，由于看戏的时候人多，木制的楼层要承受较大的重量，所以要特别加固。

厅堂内除了一般的摆设外，还有个人直直地站在那里，那人不是鲁天柳。

那人穿着一件黑色的长袍，长袍很干净也很服帖，像是裹在身上的。站立的姿势很是僵硬，猛一看还以为是厅堂中间又树了根柱子。

关五郎不管是在何种凶险情况下，从来就不知道什么是怕，这是年轻人的优点。可是眼下的情况是不见了鲁天柳，他心慌了、心乱了，这是年轻人的缺点。

二层传来的琵琶声，是杀戮的声响，是危险的讯号，他必须上去。楼梯是对称的燕尾式，可两个楼梯口都在厅堂的后墙处，要想上去就必须经过那黑衣人的身边。

琵琶声的急促吊起了五郎的肝火，他有些不管不顾地前进，可马上就又止住了步子，将朴刀摆了个“圈儿刀”左斜劈的起势，因为琵琶声也吊起了黑衣人的杀气。随着弦音，那人摆出了一个怪异的姿势，如同是在舞蹈，可在五郎看来更像一把有些弯曲的剑，像那些剑侠刀客故事里说到过的“吴钩”。

琵琶声渐慢，那黑色的“吴钩”杀意却渐浓。弦音欲止，“吴钩”锋芒已现。

五郎的“圈儿刀”，也就是“旋风杀”刀法，是没有闪躲避让的招式的，所以他必须抢到先机，否则就算能一刀功成也将是同归于尽。

刀风骤然而起，是旋风，银色刀芒带起的旋风。五郎的身体在旋转，一圈接着一圈，随着这旋转，刀风越来越急，刀力越来越劲。五郎带着刀旋转成一个必杀的漩涡。

“吴钩”虽然也是利刃，但他只是一把能曲直的剑。轻巧的剑身肯定受不住朴刀卷起的狂飙。所以他只有退让，退让，再退让……是的，他只能往后退让，而无法往旁边躲闪，因为那刀芒的旋风已经封住了整个厅堂。刀风中木椅、桌儿的碎块在飞溅。

“吴钩”退让的步法姿势合着琵琶的弦点，真像是舞蹈，虽怪异，却极富韵律。突然，他停住不动了，难道是不再打算退让了？不，是因为这狂飙般的刀芒再也碰不到他了。

五郎疏忽了一件事，在这里，技击功夫是其次，真正厉害的是布局，是坎面儿，是扣子。“吴钩”不再退是因为有扣子落了，而且他能保证五郎肯定落扣。

“天网罗雀”，此坎中头扣是一张“韧藤马鬃网”，这不是死扣，是个定扣。为四足一头的布置，扣子就架在那两边的四根立柱上，各牵一角为四“虎足”，动弦的扳扣为一“凤头”。

“吴钩”已经快退到了后墙，他挡不住那刀风，所以必须退。他要拉弦落扣，也必须退。

他突然止步，是因为左腿已经踩到了“凤头”，那是一块翘板一样的青砖。青砖被踩下，“凤头”抬起，“虎足”便扑。

机括非常灵敏，弦子动得很快，那“韧藤马鬃网”像一片乌云直直地往五郎头顶罩落下来。

五郎的身形依旧在旋转，他还没有任何反应就被罩裹在了网中。舞姿的收式让那黑色“吴钩”变成笔直刺向空中的龙泉，旋转的刀风离他只差了半寸。

黑衣人得意地笑，可还没来得及翘起嘴角，就已经是另一副表情——难以置信。

他的嘴角向两边延伸出笔直的红线，大半脑袋就这么斜着滑开……

“四足挂鬃网，鸦雀逃无隙。”不管你是何等高手，入到其中便再难脱身，更别说继续攻杀。

关五郎不是什么高手，他只是个建房立柱的工匠。进到这厅里别的没看清，可几柱几架、位置距离、高度落差他都了然于心，这“眼量”的技法是“立柱”一工的基本。网落下时，他很清楚自己的位置。他的刀法是靠旋转来增加力道的，他每多旋转一圈劈杀的力道便增加一分。

此时他积聚起的力量已经足够他在全身裹满网之后，再多旋出一圈。在这一圈时他足尖轻点让身体稍稍跃起，从网子眼里伸出的刀尖也就多前进了一寸。一寸的长度减去刚才与“吴钩”之间半寸的间隙，便多出了半寸必须从“吴钩”的脸面里走过。

半寸的距离可以成为一辈子的骄傲，半寸的距离可以改变一个人的生命轨迹。“吴钩”半边的脑袋滑落时，带着太多的没想到。身体是随后才倒下的，倒下时，剩下的半个血瓢般的脑袋狠狠地砸在后墙的墙板上。“咚”的一声大响犹如鼓音，这是给那琵琶曲调收尾的鼓点。

“吴钩”倒下，也就松开了他脚下的青砖。“凤头”重又落下，“凤头”落下能为何？是为啄食，是为取命。“天网罗雀”，罗到的可能是活雀子吗？

天花顶板齐动，五郎的头顶之上露出了这道坎面的二扣，那是已经被簧机绷得紧紧的九十九支“凤嘴飞矛”……

## 匣中刺

鲁天柳走入堂前间的时候没发现鲁恩和自家老爹。她本想回头到偏厅与五郎再商量，可是被一股味道吸引。奇异的味道对于三觉清明的柳儿来说，就好比饕餮见到了美食，非要探个究竟才行。

她的嗅觉可以发现污秽的东西，可是她现在闻到的却不像是污秽之物的味道。那味道在她记忆中本该是呛人的、灼热的，可是这里的虽然也呛人，却是晦涩、阴寒的。

味道从二层楼隐隐传来，并不强烈，是一般人无论如何都闻不出来的。收敛心神的鲁天柳仔细辨别着那味道，突然间心轮一抖，眉间微跳。这细微的感觉很奇特，蕴藏的东西很怪异。于是她决定上到二层去探个究竟，而且一个人上去，不能带着五郎。这样就算自己被诱入彀中，至少还有个援手在下面。

她走到楼梯口，要上到二楼，有左右两道楼梯。本来应该左上右下，左天右地，可是鲁天柳却觉得上面的二层更像是地，因为她觉得那种味道一般只有地下的东西才会有，所以她走的是右边楼梯。

踩上第一节楼梯的时候，那脚感松软的梯阶木板就让她觉得是在往下走。踩上第二节楼梯的同时，她隐约听到一声枯涩的弦音，音不高，只一声，就像是收紧琴弦时卡边的弦子落下档口。这一声却让她认为自己确实在往下走。

随后便是每迈一步就有一声弦音。她的步法变得越来越疲沓，迈出的步子也一摞一摞的，落在梯阶的木板面上声音很重，那样子看起来真的像是在下楼梯。

上面有什么？或许应该问下面有什么？鲁天柳真的不知道，她现在的神情看上去像是连自己是谁都不知道了。她只知道迈步寻着那味道和弦音而去，不管此去是通往地狱还是仙境。

楼梯上到一半有个折，要拐转过一百八十度的弯，匠家管这叫全折，也叫直折。全折之后再往上的楼梯不再见顶，上面已然有二层偏房的木板底。站在楼梯上抬手几乎都可以摸到那些宽木条铺成的层面。折处正好是在后墙角，转折平台是架在后墙和山墙上的。

折过弯来，鲁天柳踩上了第一节梯阶，第二节梯阶，第三节梯阶，她的样子依旧像是在往下走，琵琶的弦音也在继续。所不同的是在第三节的时候，弦音没了，取而代之的是一声崩簧的弹出声。

第一节梯阶的阶面没有变化，第二节也没有……所有的阶面都没有变化，可是四、五、六、七、八这五级梯阶的撑板却瞬间打开。

五排，每排五杆梨花枪迎面刺出。此处上有顶后有墙，断绝了躲避的空间，更何况撑板打开的同时，头顶的宽板条也打开了，五排同样的梨花枪刺下。背后的山墙上青砖也洞开，同样的五排梨花枪刺出。

这是个精绝的老坎面，叫做“匣中刺”。就是利用特定的位置和环境，将人如同关在一个匣子中刺死。唐武周时，太平公主隐藏私密的“侍佛楼”就布置有这样的机关坎面。

《大周公主续记》[1]记载：“暗建侍佛楼，皆密，无可上，梯上具匣中刺。”

---

1 一部荒诞的稗史，明代人申铯所著，申铯同“声色”，应该是假名。书中有许多淫乱和杀戮的细节描写，直白点说就是既黄色又血腥。明代中期曾盛行一时，其名不在《金瓶梅》之下，清初也曾再版几次。后不知其中什么内容为官家忌讳，康熙朝初便被禁毁。

在这老坎面中逃过性命的只有两个人：一个是在宋代，是个钻天飞贼，他不但轻功路子别辟奇径，而且还会瞬间缩骨，坎面动时，他是身体快速侧向扑出，从楼梯栏杆的缝隙中钻出，逃过三面刺；还有一个是在元代，是个横练功夫极好的矮子，直接脚下运力踹碎楼梯的木面掉到楼下。

因此，从创制出这老坎面起到现在，这坎面的扣子只改动过两次。一次是将侧面下面一半楼梯的最上三阶改作“翻板百刃坑[1]”或者“虎齿陷夹[2]”，让侧向逃脱的落脚点也变成死扣。还有一次是将上面一半楼梯最下三阶的木面改为钢面，或者做成“锋口豆腐格[3]”，让有能力砸碎匣子往下逃的人没了路径，要么被切成个百格豆腐。

那么鲁天柳就必死无疑了？也不是，她非但没死，甚至连汗毛都没断一根。

因为她根本就没在坎面中。

简单的擦拭扫洗不是鲁家六合之力的“辟尘”，那只是打扫。“辟尘”是六合之力中唯一需要练习轻身功夫的。“辟尘”所谓的“尘”，首先是指犄角旮旯、花格缝隙里的尘垢，还有就是躲藏在阴槽暗格、封孔背阳等地方的一些恶破和秽毒，这些东西有故意设下的咒蛊降头，也有无意间遗落的钉头木刺和一些污印划痕，再有就是那些说不清道不明的脏东西。本来“辟尘”一工要阳气充沛的成年男性才可胜任，可鲁天

1　陷坑的一种，有开合翻板、抽拉翻板和旋转翻板三种动作方式。坑中安设横、竖、斜各种形态的刀刃上百支，落入绝无生还。

2　一种钢夹，两面都有虎牙般的锋利锯齿。但与一般钢夹不同的是，它叫陷夹，因为它的咬合不是一次咬死的，而是在弹簧和旋杆的作用下，由下而上反复咬合，就像一张巨大的老虎口，先将小腿处咬断，再开口咬断大腿，再咬腰部，直到将整个身体咬为几截。

3　横十格竖十格交织而成的网格状，和过去做豆腐的托格一样。所不同的是所有格条都是锋利的刃口，而且格条交接处是活动的，可以收拉割磨。人落入其中，立即皮开肉裂。再加上机栝外力作用，可将人切得碎碎的，就像豆腐块一样。

柳偏偏要学此工。鲁盛义也拜访了几位半仙高人，他们一番推算后都说鲁天柳操此工犹胜阳刚男儿。

还有，有些东西一般人不聚气凝神也可以发现，但那种状态叫被迷，也叫失魂，因为当你发现时就开始被那东西控制。鲁天柳聚气凝神恰恰是为了能做到污不入心、秽不入神。能做到这点的人是不可能被一声单调的弦音所迷惑的。

鲁天柳疲沓的步法反倒是为了迷惑二层弹琵琶的主儿，而且她也需要这么走。沉重的落脚力道能让消息扳弦产生震颤，从而导致机关脱扣动作。

她的确是在上楼，但她走的不是楼梯的阶面，从研习"辟尘"之工起，她就很少正经地走过阶面，因为她平常打扫的是楼梯的外边角、底沿、底面。今天她走的是楼梯阶面的搁边。只需用两根手指搭住栏杆的扶手的外边角，凭着轻盈的身法，上楼的感觉和别人从阶面上走没什么两样。

坎面动了，匣子合了，"匣中刺"也刺了，可这都和鲁天柳没关系。那些"刺儿"都在她的身边竖立着抖动着，其他那些"翻板百刃坑"、"虎齿陷夹"也好，"钢板阶面"、"锋口豆腐格"也好，跟她就更不搭界。

她继续迈步上楼，但已经不是刚才那种怪步子，而是轻巧无声的弹跃。坎子面一直布到第八节梯阶，这是楼梯的最高一节。也就是说楼梯上不会再有其他坎面了。

站在二层的楼梯口，她看到了一个矮矮的戏台，戏台上有一桌两椅，这样的布置应该是唱苏州评弹的台口。

中间桌上放着一把小三弦，两边椅子上都坐着人。一边是个丰腴的女人，另一边是位枯瘦的老者。

老者真的很瘦，像是一具骷髅，而且还搽了满脸的粉。厚厚的白粉在皱褶纵横的脸上粘挂不住，掉落得满身都是，把旧得变色的暗青色长褂弄得白花花的。那老者的坐姿也很奇怪，整个身体僵直着后倾，脑袋靠在椅背上，屁股只搁一点在椅面上。样子像是在小睡，可口眼却朝天花顶大张着，一动也不动。

女人很丰腴，她抹的是光滑的油粉，又白又亮，还画了许多油彩。眉线、眼影、鼻影、腮红一应俱全，就连指甲也均匀地涂成黑色。她坐得很端庄，怀里抱着一把琵琶。

鲁天柳听过几次评弹，是陆先生带她去的，虽然那些演员也化妆，却从没见过这样浓的。

女子见到了鲁天柳，拇指一横按住了琵琶弦。她瞪着眼，表情惊愕茫然。“匣中刺”竟然没陷住面前这个姑娘家？

二层的楼梯口怪味更浓烈，应该是从那两个怪人的方向传来的，且依旧辨别不出到底是什么味道，这让鲁天柳觉得面前的那两个人更加的诡异和龌龊。

鲁天柳又把那两人反复打量了几遍，没有放过任何一个细节。最终注意到两样东西：枯瘦老者的脸和丰腴女子的绣花鞋底。

老者脸上的白粉不是化妆用的彩粉，鲁天柳清明的嗅觉闻出那是石灰粉。在楼下时，怪异味道中的呛人感觉就是来自于这石灰粉。脸上扑满石灰粉是干什么用的？防止脸面腐烂吗？那绣花鞋不算是新鞋，而是像放置了好多年从没穿过一样。鞋底边没有一点泥土脏污，只是有些潮湿，有些发黄，有些白灰。那也是石灰。鞋底的石灰又是干什么用的？莫不是为了掩盖鞋子里渗出的黄水？

浓妆、不沾土的鞋子、石灰粉、渗出的黄水、枯瘦僵直的老者，这些都不算什么，可是同时把这些条件拢在一块儿，那只有一个地方可以见到，就是坟场。

鲁天柳再次凝神聚气，这次几乎都能听到东西腐烂的声音。

那竟然是两具埋了又被挖出来的死尸。鲁天柳有些害怕，不是害怕死尸，而是害怕活尸。就像那个丰腴女子，一个已经没有生命的躯体却左顾右盼、眉目有情地拨动琵琶。

把尸体做活当鬼用有时候比鬼还要厉害，它不受时间、天气的影响，也没有经咒器物可以收服，只能破了这死尸的气门或弦口。这首先要知道气门和弦口的所在，否则只能用蛮力击碎它、剁碎它。

鲁天柳似乎无意识地前后换了下脚，却在换脚时稍稍退后了一脚掌的距离，并且非常隐蔽地摆出了个迅速逃遁的起步姿。她这是要走，和两具不知埋了多少天的半腐躯体纠缠是件不明智的举动。

突然，琵琶声响起，的确是那丰腴女尸在弹奏，手指很灵活，节奏很快。

鲁天柳又退了一步，这一步不是随意退的，是因为随着琴声的响起，她感到尸臭骤然变浓，石灰粉都掩盖不住了。

是尸毒！只要吸入肺中就会让人大病一场。鲁天柳迅速摸出个青瓷扁瓶，倒了一粒药丸含在口中。这是浙江一家专配偏门药的“品草堂”为忤作、尸殓、迁阴宅这些干死人活的人准备的化秽丸。

琵琶声渐缓，女活尸边弹奏边从椅子上站起，一直悬着的双脚撑在地面上软软地扭晃了几下，竟然还撑住了身体。

琵琶声更缓了，女活尸腿脚怪异地下了戏台，它的每个动作都配合着琵琶的节奏和韵律，跳着诡异的舞蹈。

鲁天柳没有再退，她很清楚，这女活尸是不会就这样让她走掉的。她甩甩衣袖，抖出一对飞絮帕[1]，死死盯住那渐渐逼近的女活尸。虽说已经做好动手的准备，她的心里还是越来越紧张，因为女活尸怪异的姿

---

1　一件鲁家“六合”之工中“辟尘”所必需的工具。它以链条操作，前面有绸帕，绸帕中裹有铜球。在一定技法操作下，可以像手臂一样擦拭各处尘埃污秽，最大的优点是人站在地下，就能够到高处和背向角落。当然，因为有钢链和铜球，换一种操作方法就能将它变作武器。

势让人觉得它随时会扑杀过来。

女活尸扭动着、舞蹈着、弹奏着，散发出更浓重的尸臭，一步步逼近鲁天柳……

## 炸鬼嚎

假山洞里并不十分黑暗，堆垒起来的太湖石有许多大小孔眼。外面的光线透过孔眼照进洞里，斑驳地落在鲁盛义的身上。

这些石头的布置真的很巧妙，鲁盛义每迈出一步，都有几处新的孔眼亮起，而先前的又暗淡下来。“玲珑百窍”，这种假山的造法已经失传，据说普天下只有姑苏有，而整个姑苏城估计也只剩下这一处了。

姑苏的园子在布局上讲究君臣文武之法，以水景为君，山石为臣，楼台为文，花木为武。这园子塘面不阔楼身不巨，因此这假山也不大。

鲁盛义对这些建宅布园的道道比自己的岁数都记得清楚，可让他糊涂的是在洞中蹑手蹑脚地走了一百八十步，却仍没见到出口，更没见到鲁恩。

“壁虎倒行”很累人，走了这么久还没到头也很吓人。冷汗、热汗一下子便布满了鲁盛义的额头。他知道自己踩上坎面儿了，可他不知道自己什么时候入的“虚门[1]”，可这么小的假山之中要掩“实门[2]”、阐“虚门”是很难的。

鲁盛义的机关布局比他大哥要高明得多。鲁盛孝二十多年的时间都用在道学上了，而鲁盛义则不同，他是个好工匠，更是个江湖人。这些年他闯荡江湖，结交了三教九流、各门各派的朋友无数。他虚心求教，

---

1　用来误导落入坎面的人而设的门，可以根据需要任意调整。

2　坎面中本来就存在的门，是固定不变的。

博采众长，不但“定基[1]”的工法大得到提升，而且在机关布局、奇门遁甲方面也受益匪浅。

鲁盛义看着落在自己身上的那些斑驳的光线，眉头皱紧。他把手中的宽刃刻刀探到那光线下，将雪亮的刃口稍稍转了个角度，却没有在旁边黑色石壁上找到反射的光点。

他猛拍了一把自己的脑袋，心中暗叫：“蒙眼障！江湖走老了，还被蒙眼障给惑一回。”

蒙眼障有好多种，这假山洞里用的是“换光”。这里的坎面儿没有实门、虚门之分，所以鲁盛义不是跨了虚门，而是踩了虚光。虚光是指布坎人预设的光源，这光源不同于自然的光线，它设计得再好都是会有闪烁和抖动的，而且这光很散，反射能力差。

刚进洞时看到的确是自然光，往里走几步后，那些孔眼里透入的光线就变了，然后鲁盛义就开始按照对家预设的路线走，那将是一条永无止境的路，直走到累死、饿死、渴死。

自己被这样一个换光的小技法给惑了，鲁盛义懊恼不已。因为遮眼法中的“换光”是极其普通也极容易被发觉的，前后光线的替换有个很生硬的过渡。

其实鲁盛义不知道，对家这座假山是利用了“玲珑百窍”的奇妙堆垒结构，那个过渡已经被掩饰得毫无破绽。

现在鲁盛义已经不知道自己身在何处了。坎面已经将他困住，既然已经入了这个旋儿，往回走一样是走不到头，而且会越走越乱；往前走呢？如果还是在假山之中，往前走肯定是白费力气，如果已经走出假山的范围，那么前面很可能有什么死扣或者活坎在等着他。

---

1　是说根据风水布局，定下建筑的基础位置，要与风水格局不冲突并且最大限度地利用到风水局中的吉旺因素。另外，基础位置的大小、土质、用材、方位都在这一工技艺范围之内。还有就是土地的平整、清洁、驱晦都属于此工。

鲁盛义感觉自己比那砧板上的肉都不如，连刀在哪里、是什么样子都不知道。现在他的确走不出去了，这坎面中的旋道儿已经并了头，也就是说通道头尾连接起来了，对家已经决定不给他出坎的机会，将坎面封死了。

而且在这样的小范围中，布下坎面也就等于撒下了扣儿。在这里坎就是扣、扣就是坎，这是坎中有扣、扣中有坎的叠布局，也叫麻花局。

就在此时，鲁盛义感觉到石洞的前方有一阵风吹来，让他的胡须和汗毛止不住地飘动。孔眼中的光线突然也没了，就像是被风吹灭了似的，整个石洞融入浓浓的墨色。

风不休，声更劲。如此遒劲却又没有起伏间断，一直吹着。风声也越来越大，不再是刚开始的呼呼声，而是变得如同鬼嚎，让人牙碜心慌。渐渐地，整个山洞都回荡起那怪异的风声，就如同许多生锈的刀子在石洞壁上刮擦着。

听着这刮心刮骨般的声响，一股寒意从鲁盛义心里渗出，他的整个胸腹像是被四尖儿的锚钩住，并将那些内脏往外死命地拖。

东晋《养生·外道》[1]有云："人嗜三毒色饮声，色蚀体，饮腐器，声乱魂。"

声音越来越大，也越来越怪，将鲁盛义绞成一团，并且在不断地收紧，再收紧，让他透不过气来。他大张嘴拼命干呕，恨不得吐出所有器官。这些声音也如同各种尖刺，有冰刺，有烧红的铁刺，有通电的钢

---

1　有人说是东晋时一个道士所著，也有人说是一个炼丹士所著。其主要讲述的是一些古老的养生之道，分内道和外道两篇，内道主要是说的养息培气储液升精等内部调理之法，外道主要说的是如何抵御外来诱惑影响以及饮食摄取之法。

刺，有“簧尾蛇”的牙刺，有夏麻芋[1]上的毛刺，刺入鲁盛义的每一个毛孔，让他寒冷、灼热、痉挛、剧痛、瘙痒。

恍惚中，他丢掉了手中的宽刃刻刀，甩掉肩上的木提箱，抬手试图掩住耳朵，却找不准位置，不是手的问题，是脑袋，他的脑袋已经完全没了知觉。于是他又开始撕扯胸前的衣服，仿佛要把自己的心脏挖出来，都无济于事。

这是炸鬼嚎，取人魂魄的扣子，利用了太湖石巧夺天工的形状来套扣，可以说是“玲珑百窍”中的最高技法。

坎面封口之后，在某处与旋道相接的封闭密室中，对家会用鼓风的器物对坎面的窍口鼓风，风进入石洞的旋道，带动其中的气流，并始终保持在同一个强度和轨迹中。这原理就如同用管子抽水一样，先将水抽出，然后将管子口放到水平面以下，由于重力的不平衡，水会始终保持一个流速从管子中流出。

奇妙的还不止是这点。由于太湖石本身就窍眼玲珑，无数的孔眼同时被风吹响，加上石头的共鸣，就能发出更大的声响，通过旋道的回旋，叠加起来，如此循环，直到被扣子套住的人精神崩溃为止。

曾经有两三个知道这扣子厉害的人，坎面刚合，扣子还没全收的时候，他们就咬断舌根自尽了。

鲁盛义被折磨得大张着嘴干呕，连咬舌的能力都失去了，可他必须死，努力去死，拼命去死。宽刃刻刀已经不知被他丢在旋道的哪个黑暗角落，就算能找到恐怕也没有力量拿起它割破自己的喉咙了。于是他摸索到脚边的木提箱，那里面有可以轻易了却自己生命的东西。

---

1　一种在夏天收获的芋头，比平常芋头要大些，一般有拳头大小。芋头的表面有厚厚的麻衣，撕去麻衣时要注意，麻衣中会有一些软软的毛刺。这些毛刺就和毛毛虫的毛刺一样，身体无汗毛孔的部位碰着没事，有汗毛孔的皮肤碰到了，会又刺痛又瘙痒。这种芋头过去在江浙一带种植较多，产量高。后来因为其口感不好，便渐渐淘汰不再种植了。

打开木箱的暗屉不需要太用力，只要知道它的穴眼或是档口。可是鲁盛义却费尽了他全身的力气。找到档口，他的手臂也已经完全无力了，只有依靠整个身体的重量压了下去……

声响更大更乱了，这让他觉得自己马上就会被扯碎，恍惚中看到自己身体的碎片在空中飘散。

## 战三重

鲁恩看到了一个短廊道，其实更像是个画舫形雨亭，说它是廊道是因为它连接着那小楼的前门，是小楼的一个入口。

廊道里铺的是木板地，这是一般园子的廊道不会采用的材料。

鲁恩纵身跨上木板地，疾走五六步，突然止住脚步。身后紧跟的脚步声却一时没有能停下来，多走了一步。木板地面上脚步声更加清晰，鲁恩听出背后的脚步声的确是自己的步法，轻重、速度和自己一模一样，唯一不同的是最后多走的那一步。就这一步，让鲁恩确定了三件事情：“第一，跟在背后的不是鬼不是妖，而是个人；第二，那人有很强的模仿能力，他一直在模仿我的步法，我突然停住，那人收不住，只好多走了一步；第三，这人在渐渐接近我，说明他步伐比较大，应该是身高腿长，弱点在下三路。”

但背后的这个人到底是用什么法子掩住自己身形的？

鲁恩的脚下暗暗使力下踏，动作很小。随后他便放重脚步继续朝前走，离小楼的正门已经没几步了。

走到第四步正迈出第五步，鲁恩脚步突然变了，他高高抬起右腿，佯装大步跨向门口。事实上，他左脚原地转动九十度，身体侧转过来，成背剑式反虚步。与此同时，手中的刀瞬间换成垂手式。

以鲁恩现在的姿势，他可以看到背后的一切，确实没有人，一个人都没有，可他斜握着的垂手刀还是往背后斜下方刺下……

一大块木板突然流出血来，扭曲变形，鲁恩收刀的同时，那块木板缩成一团飞出了廊外，闪入树丛花圃不见了。

其实先前鲁恩在木板上暗暗使力，是将地板踩出了一条微小裂纹，再回头时却看不到了，所以鲁恩想也没想就出刀了，朝着裂纹应该出现的方向，果然有人。

刀头插入了一个血肉之躯。鲁恩没想这么容易就伤到那个神秘无形的东西。那东西也没想到鲁恩会转身迈腿，突然出刀，而且正好迎上他抬高迈出的右腿。

地上留下一摊殷红血迹，过廊的栏杆上也有一些，花圃的草叶上也是。没有这些血迹，这里就和没发生过任何事情一样。没有这些血迹，鲁恩就没法找到那个无形的东西。没有这些血迹，也就不会有楼台前的一番大厮杀。

鲁恩的动作不快，有条不紊地将背上有些累赘的背筐拿下，安放在过廊的一角。他知道现在需要的不是速度而是稳健，他不能让那个已经受伤的怪玩意儿有突袭的机会。鲁恩没有循着血迹走，但却让血迹一直在他目光可及的范围中。草地上的血迹隐入几株美人蕉和大丽菊的背后，鲁恩仍是远远地绕过那些植物，血迹又出现了，从一挂紫铃藤旁过去，往池塘延伸。

鲁恩走得很小心，他知道江湖中就有一种“留迹袭后”的险招，就是受伤的人忍痛再将身体的某个部分砍伤，将血喷洒在三尺之外，然后自己隐在一旁给循迹追杀的人致命一击。

这里池塘的水沿构造采用的是簸箕沿，就是说三面用石块垒砌，只留一面土坡。这样不但可以将人工与天工并存，流通雕琢中又带一些野趣，而且当大雨季节，池塘下暗河道输流不及时，池塘水可以由簸箕口溢出，流到园外河中，从而保证园中其他构筑不会被水淹浸。

鲁恩来到的这面水沿就是簸箕口，除去树木和石铺小径，就是泥草坡直接到水。那血迹延伸到了塘边矮土坡上，再从坡上一直顺着石阶到水里。鲁恩的嘴角挂起一丝笑意，因为对家那隐形怪物的愚蠢让他觉得可笑，居然将自己的逃跑迹象做到水里。这么短的时间里，不曾有落水声音，也没见涟漪。

这破绽百出的小伎俩怎么能骗过鲁恩这老江湖？可他并没有让久违的搏杀带来的兴奋冲昏头脑，二十多年“固梁”之工的研习让他变得更加的沉稳，让他觉得较量，特别是将生命作为筹码的较量，应该如同架梁一般，瞄好架柱间距，对好每个榫头榫口，定好椽子的角度，至少有了九成五以上的把握，然后再一把投入，无阻碍无缝隙，这才是高手。

鲁恩的脚步始终平静稳健，手中的刀更是如他所固之梁，但他的眼光却是灵动如流，稍一扫视，就发现只有那座小楼旁边的一棵粗大银杏树可以藏身。

鲁恩并没有马上行动，脑中设想：那个怪东西受伤逃到河边，没有入水，只是用血迹做了个惑相，然后紧贴水边横向朝着那十几步外的银杏树逃去。

这是个极合理也极为有效的逃跑途径。这东西受的伤如果确实在下三路，就没法狂奔快逃，也无论如何都跑不远。

鲁恩依然遵循“敌留痕己不踏”的原则，远远地向银杏树那边绕行。直到已经到达河边水面他才发现，水中没有他设想的痕迹。于是心中不由一阵狂跳，手掌翻转，回到立手刀，同时将身体放低。一脚踩得很实，鞋底都陷到了泥里，另一只脚前掌虚踏，随时可以改变身体朝向，这是“夜战八方”的起势，因为他已经感到有杀气向他围拢过来。

杀气来自三个方向，可石台阶上没见到一个人影；头顶斜上方，那里只有香樟树和银杏树伸出的一些细树枝；身后池塘的水下也没有，而且这么长时间闷在水中，除非杀手是条鱼或是个水鬼。

杀气很凌厉，方位很奇怪，却许久都没有发起攻击。为什么？鲁恩也没时间去细细思量，他要做的是尽快找到一条活道。

其实原因很简单，“夜战八方”的起势严密得针都插不进，三个方位的杀手没有一击即中的把握，他们只能选择继续等待。

寻找活道的鲁恩突然发现，石阶上有一处血迹，在流动，在扩大。

“夜战八方”的立手刀瞬间变作垂手刀，脚下也跨前一步，抬手直插，这是个简单的招式，这是“固梁”之工的“钉落梁弧[1]”。

一动手，再严密的招式都会出现漏洞。有了漏洞，也就给了对手出招的机会。

池塘中飞出一道尖形的水花，好似一个斜飞的月牙儿刺，一片锋利的水绿色锋芒直奔鲁恩后背而去。

斜上方几枝深褐色的香樟树枝带着一些半枯不黄的银杏叶扑向鲁恩头顶，带起一阵刺破空气的尖锐声响。

流血的石台阶也动了，方正平整的石条突然扭曲成了个米黄色的碎石堆。碎石包裹住鲁恩手中的刀，也缠住了鲁恩的右手。

鲁恩知道自己这一刀插下，肯定会导致坎面动作。

但他没想到的是背后水中的人扣儿撒出的速度是这样的迅疾，看得出，池水的阻力对他的行动没任何影响。他也没想到头顶上的人扣儿离他那么近。原来总觉得人扣应该躲在银杏的叶丛中或者银杏树冠处粗大枝干的背后，可这人扣儿竟然是在没多少树叶的香樟树上，身体的一小部分搭在银杏伸出的枝条上，这就使他扑下的距离比鲁恩预计的缩短了一半多。

最让他意外的是那流血的石头没躲也没挡，竟然用身体裹住了自己

---

1　这招式其实最初是固梁一工中的木工招法。木工固梁，最难的是拱形梁顶，因为不管是与撑杆还是梁柱连接，单靠榫头是不够的，必须在拱形梁的弧尾加大钉支撑。上梁之后，位置一对准，就应该立刻将大钉打穿弧尾竖直打入梁柱或撑杆。将钉由弧形面打入柱头不宽的平直面有一定难度，而且拱梁在这过程中还可能移位，所以钉落梁弧需要做到快、准、狠，一步到位。

的刀。

一处固位，两处扑杀，速度快，距离短，左手空空无刀，右手被缠住没法动弹。鲁恩难逃一死。

这坎面叫做“无影三重罩”，是人坎，根据“三才气合”的原理套用而来。商纣时，姜子牙根据风后所留奇门遁甲“阴阳遁”一百八十局，改作八节三气三合共七十二活局。“三才气合”就是其中的第六十七局。

对家在套用“三才气合”布置“无影三重罩”时，将“天、地、人”改作了“满、实、虚”，其实也就等同于我们现在说的水陆空，并让坎中杀手练习“吴伕舞”和唐代“惑神术”中“融境”的招法，这些技法可以让杀手活扣变得无影无形。

“吴伕舞”是吴地的一种舞蹈，表演这种舞蹈的人被叫做“吴舞伕”。“吴舞伕”都有很好的观察和模仿能力，他们可以一眼之下就模仿出别人的动作，并且身形特点、轻重缓急无不到位，跟在人后就如同那人的影子。

“惑神术”也就类似于现在的魔术，“融境”就是利用身上所带的多层特制装束，将自己掩于周围环境之中，让别人发现不了。当然，这些装束的材料有很高要求，一是要将它们制作得和周围物体外相质地非常相像，还有就是要能配合光线的变换。“融境”一般都只能用于一个特定的小环境，并要经过很多次练习。只有很少几招可以普遍使用，像石形、树形等。据说东瀛忍术也是由此发展而来的。

两处凌厉的杀势已经相距不远，鲁恩必须作出选择！

他松开了握刀的右手并作刁掌状，然后如蛇头般扭丝寻隙，从流血的碎石堆中逃脱出来。左手一晃，撒开了腕上缠裹着的鱼皮护套，后跨一大步，重新踏到他刚才在池塘边踩出的脚印里，并把身体放得比平常扎的马步还低。

池塘中飞出的水绿色锋芒已经很近了，鲁恩的后脖颈能感觉到它带起的劲风和潮湿的水汽。空中扑下的香樟树枝也很近了，鲁恩的鼻翼中已经嗅闻到香樟叶的清香。

他右手迎向了空中，左手甩向背后。

从水里袭向他的是一把水色弯刀，弯刀并不长，刀刃碰到鲁恩后背的刹那，鲁恩左手上的鱼皮护套也抽在杀手的面门上了。使的是点抽法，护套头出去一半，手就往回带，抽击的同时发出一声震慑心魄的脆亮响声。

护套虽然是软的，但护套上的鹰嘴铜搭扣却是硬的。所以人扣儿没能继续落下，而是发出一声怪叫，向后跌落。弯刀只划破了背心处的棉袄，留下一条密密的刀缝，并没有棉花绽出。

空中落下的香樟树枝中只有一根是树皮痕乌铜短矛。这种矛，矛尖就是矛杆，矛杆就是矛尖，浑然一色，整个就是一根树枝模样。

鲁恩一时看不出杀人的尖锐矛头在哪，但他能听出矛尖破空的声响。右手一个缠丝腕躲过矛尖，抓住矛杆。空中扑杀的力量巨大，鲁恩止不住乌铜短矛的继续下刺。只能勉强将身体侧过，让开颈部，任由矛尖刺穿了肩部的肱三头肌。

鲁恩索性松开了右手，握拳成箭锤形，奔落下人坎的胸口迎了上去。拳头已经伸到极点，他只能双腿用力，猛然将身形挺起，而恰好在此刻，扑杀的巨大冲力将“香樟树枝”的胸口毫无保留地送上来。

撞击是疼痛的，“香樟树枝”松开了握住短矛的手，就如断线的风筝一样摔出。口中喷出的鲜血染红了鲁恩右半张脸，让他的面目瞬间变得狰狞。

树皮痕乌铜短矛留在鲁恩的身体里，只余下不多的尾端。鲁恩肩头结实有力的肌肉将矛杆裹得紧紧的，看不出一点前轻后重的样子。

那扮作香樟树枝的杀手倒在池塘边的湿泥里。他无神地看着鲜血顺着鲁恩肩头的矛杆流到矛尖，最终聚成艳红色的圆球跃入水中。

池塘里深绿色的水开始有了红晕，人坎的七窍也开始溢出鲜红。他的四肢开始抽搐，目光显露出不甘，他没想到被自己袭中的目标一抬手就要了他的性命。

鲁恩也为这一击付出了极大的代价。这空中落下人坎儿的冲击力，将他的双脚深深砸进池塘边的湿泥里。他心中一阵烦闷，血腥味涌到嗓子眼又被他生生咽了回去。其实这还不是最严重的，拳头击中那人扣时，他听到了很清脆的“咯嘣”声。他原以为是杀手胸骨碎裂的声音，但随即传来的剧痛和手腕的僵固让他知道自己的右手已经受伤，无法动弹了。

持刀的手受伤无法动弹，对于一个刀客，特别是对于一个正在战斗的刀客来说，是最悲哀最惨痛的事情。

先前被鱼皮护套抽中而跌落池塘的杀手没有落入池底，竟然刚跌入水面就又鱼跃而起，再次向鲁恩扑来。流血的碎石堆忽然也扭曲成一个怪异的形状朝鲁恩直撞过来……

## 情襟断

陆先生一直跟着前面的那个身影。那身影像鬼移形一般，看着在前面十步左右，一个忽闪，就已经到了十五步开外。

陆先生不管这些，他只是不断加快脚步，喘着粗气紧追不舍。他不关心自己走到了什么地方，也不看周围有什么东西，这时就算有什么人从身边走过他也不会理睬，他的眼中只有那身影。

穿堂，绕屋，出厅，过廊，越过天井，再穿堂，再出厅。陆先生站住了，因为他前面那个身影不见了，取而代之的是一条笔直而来的河道。陆先生缓缓转身，大口地喘息着，抬头看看，再左右看看，这才发现自己已经身在这宅子的正门外面。

陆先生的气喘一下子停了，像是脖子突然被掐住。

正宅门是大开着的，可陆先生并不敢马上再进去。出来得有些莫名其妙，可不能再进去得莫名其妙。他将斜挎在肩上的藤条箱往身前拉了拉，然后原地转一圈，仔细地打量了一下这宅子正门的布置以及门前的风水环境。

他惊讶了，疑惑了，也更加不知所措了。

这正门竟然也和后门一样，正冲着水道，唯一不同的是河道上横跨着一座拱桥。

陆先生虽然不清楚这前后河道是否连成直线，但他知道这宅子做的不是“涤秽局”就是“伏水局”。

什么叫“涤秽局”？就是先有此宅，可宅中有极凶的脏东西，无人可除；或者被安置了极其隐秘的降头恶破，无法起出。这时在宅子前后引两路水道，一前一后对冲，可镇住宅中异物，并且在多年以后，经水道冲涤，宅中异物会渐失凶气，最后自然消失。可这种局相很少，一般有能力挖引两条河道的人家，还不如荒弃旧宅，另择吉地重建宅园。另外就是这局相很难把握，凶相尽除后，就要马上改引河道，不然就要破了宅子刚聚起的阳元，又会伤人毁家。

“伏水局”是指隐伏于水中，养精蓄锐，以待腾空跃世。一般是风水师算出宅中有人合灵龟出世、金鲤跃门命相才会将宅子做“伏水局”。可一般灵龟、金鲤的“伏水局”除水道冲宅口外，还应该有水道绕宅，形成一个回旋水面。可这宅子除了前后之外，没有其他水道。

那么只剩唯一一种可能了：“顺一字伏水局”，也就是“潜龙格局”。清·柳遂《大势局风水》[1]有云：“龙落潭则为蛟，也谓困龙。”潜龙应合一字水道，才有腾冲之势；所伏水道首先要活，其次要无镇水之物。

也就是说这样的大格局只有想得天下的人才会摆，而且这想得天下的人还必须身具龙脉。要是没帝王家龙气压住，前后水阴对冲，宅子就会阳元俱破，变成一座死宅或鬼宅。

虽然鲁盛义曾经跟他提起过，这家人家是属龙相格的，他一直都认为是鲁盛义故弄玄虚。可从今天这宅子的风水布局来看，从正门两旁半人多高的镇门龙纹石鼓来看，从承檐额枋上龙脊形斗拱来看，又由不得他不信。他很灰心丧气，有被羞辱的感觉，一时之间不知道自己是该留在这门口还是离开。

---

1　清朝柳遂著，书中不讲阳宅风水也不讲阴宅风水，而是研究的一方风水。就是说，从一个地界的风土局势上来看此处民情、产获，以及是否会出显赫人杰。但后被几个当时堪舆界的泰斗人物指出其书中谬误，于是世人疑其为骗子，不再信其书中理论。柳遂郁郁而终，其书也便未传于世。

不！不留在这门口，也不能就这么一走了之。

他提起夹棉长褂的襟子，右手“摄魂死封铃”的刃边随手一划，整幅的襟子落下来，长褂变作了短袄。他知道这趟再进去肯定是一场硬仗，他这辈子都没动过手，虽然学了些本事，可是生性懦弱善良，凶的不敢打，弱的不忍打，但是今天不打不行了，他这是要救人，是要挽回自己这辈子最大的一个错误。

“呦，割袍断义呢？”正门里传来一句甜得发腻的女人声音，让人觉得就像是猪油糕的糖馅噎在了喉咙口。

陆先生心中一紧，脑门发麻，眼睛发蒙。二十年了，他魂牵梦萦了二十年呀！这声音，还是那么甜美细润，竟然没有一丝变化。

陆先生眼中闪过一丝泪光。一个身着宽大袍服的身影出现在轿厅的门里，院道中无缘无故地起了一层轻雾，让那身影有些模糊。

“侬骗我格！”陆先生的嗓音竟然有些哽咽，所以只能勉强吐出几个字。

“对不起，你走吧。”女人说得很轻松，声音也依旧甜腻，但甜得有些勉强。

“行呢！”陆先生的语调有些像在哀求，“让吾带他们一道行出，不然吾作的孽太大格。”

“那样你也走不了。”女人的声音有了些冷意。

“侬到底是啥人？公主？还是王妃？”

“你要是现在离开，这辈子你都叫我小枫。你也可以进来，但从此要跪下叫我声太后。”

“太后？难得，你一个太后竟然会屈驾骗我这江湖的浪荡子二十多年。”陆先生改用不大标准的北腔官话，声音变高了，脚下也不由地朝前迈了两步，“我这老朽的山野村夫，本来是跪不下也不懂怎么跪的，但我今天还是尽我能力给你跪下，让我带走他们吧，他们只是些忠厚匠人，没什么危害。”

“咯咯吱……”那女人的笑声有些怪异，像是在咬什么东西一样，“你这人怎么迂腐成这样？你想要是对我们家没危害，我会费劲让你在他们家窝上二十多年?”

“那你就看在我为你做的那些事情放他们一马。”陆先生的样子像是在哀求。

“你做的事只是为了回报我，我不欠你。”

“可是今天是我带他们来的，不能算是回报你。你也不能再让我作这把孽了。”陆先生有些急了。

“所以我让你活着离开。”

陆先生一时语塞，他重又用吴语腔调喃喃地反复着：“求侬个，吾给侬跪落个，求侬个，嗯吾给侬跪落个……”

陆先生一边说着，一边真的往前迈步弯腰屈膝要跪下。就在将跪未跪时，他陡然纵身向前扑出。可刚跨进正宅门里，就有四道黑色的暗光像强弓发出的箭矢一般朝他飞过来，他挥舞铜铃迎击。

那“箭矢”是四只瞿雎，也就是陆先生认为的蜡嘴，在铜铃距离它们还有一尺多远时，就变向四面散开了。陆先生没有止步，他要继续往前冲，冲到那里揪出那个恶毒女人。

他不知道自己当年到底是被什么鬼迷了心窍，四十多岁的人也算修道半世，竟然在一夜之间就把自己的心和命都交给这个女人，并遵照她的意思在鲁家呆了二十多年。每过一段时间就将自己所听、所见、所学都通过别人转述给她，而且今天自己还为她将鲁家人带到这宅子里来，只因为这女人让人带话，说要见识一下鲁家人的真正身手。

陆先生有些痛恨自己，还算个辨阴阳弄鬼神的，怎么就辨不清这个人？为什么鲁盛义说的那些话自己没一句相信，而这个女人，二十多年没对自己说过一句真话，自己却从不怀疑，还将其引为自己另一个知己，深藏于心不对人说。陆先生满口老牙不由咬得紧紧的，心中更是发着狠。

陆先生只往前多迈了一步，就再也不得向前了。一只蜡嘴啄在他挥出的胳膊上，棉褂袖子多了个绽放出大团棉花的洞口。另两只蜡嘴，一个落在他肩头，一个抓住他后背，他使劲想将它们甩掉，不给这些扁毛畜生对他头颈下口的机会。还有一只蜡嘴的爪尖在他脸庞上一带而过，这让他对蜡嘴爪子的硬度和锋利有了最直接的体会。

蜡嘴的爪子划过时，除了彻骨的疼痛，还有一丝难以忍受的寒冷，像是一根细长的冰锥直刺进脑髓。因为这种鸟喜食毒物和尸脑，久而久之已经变得腑脏皆剧毒，骨爪硬如铁、寒如冰。

陆先生还没来得及打个寒战，啄破袖管的那只蜡嘴已经回旋一圈再次扑下。陆先生退后躲闪，那蜡嘴一扑不中，马上横翅追击。其他三只鸟也鱼贯而下，陆先生还是只能退，眼看退到门槛边，就要被逼出去了。外面左右两面的一对石鼓此时也动了，不知道是什么杀扣儿正在候着呢。

一个文弱的风水先生一时之间应付不了这些扁毛畜生，而且脸上伤口的疼痛让他慌乱无措。他倒退的脚步绊在门槛上，摔出正门。正门虽然是开着的，却好像另有两扇紧闭着的无形大门，鸟儿们没有越出门框外一点点，全都翻翅横挥，调头飞回。

陆先生躺在地上，两股粗重的风声在他脸前交错。陆先生定睛看去，那是两只半人多高的石鼓悬在梁架上，悬挂石鼓的不是绳子链子，而是两根树干。不知这海碗粗细的树干中有什么奥妙，让那对石鼓如同钟摆一般来回摇摆。

陆先生手脚并用地从石鼓下方爬出来，冷汗直冒。谁的头顶挂着这样一对大石鼓摆来摆去都会害怕。幸亏他是摔出宅门的，要是站着走出来，被这两只石鼓一拍，肯定会骨断筋折，碾成肉饼。

陆先生从石鼓底下爬出后，那对石鼓便一下停住，紧贴着两边门廊墙壁斜挂，静静地候着下一个目标。

宅门里传来两声冷笑。陆先生也苦笑了一下，自己胡乱冲了一把，结果是衣破脸伤，连滚带爬地被赶出来。要不是运气好，自己可能还要死在这对石鼓下。陆先生好像听鲁盛义说过这种机关叫做“鼓自撞槌”，是用来封退路的。一般这种扣子落下，就是赶尽杀绝的局势。

刚刚自己这一进去，那位红颜知己连自己的性命也没准备放过，那她又怎么会放过里面那几个人？

陆先生用手指摸了摸脸上的痛处，伤口已经朝两边翻开。他将沾了血的手指在嘴里吮了一下，血腥的味道让他的目光变得更加坚定，然后又将沾了唾液的手指在山羊胡上捻了几下，把个须尾捻得更尖更翘。

他将“摄魂死封铃”交到左手，右手打开藤条箱的盖子。然后抬高左手，转动手腕，铜铃在手腕的带动下转着圈。右手打开藤条箱盖后就放在藤条箱里没再抽出来，像一支暗伏的武器一动也不动。他开始有些微喘，气息在寒风中凝成一股股白色的雾气，迈出的步子却异常沉稳，不急不缓地再次朝宅门里走去。

“咦！”宅门里发出一声惊呼。是因为看到陆先生再次向门里走来，也是因为发现陆先生竟然满面杀气纵横、双目凶光闪烁。

“一声天铃响，祖师摆道场，吭——；二声天铃响，请得天兵将，吭——；三声天铃响，妖魔鬼魂丧，吭——；天开日月同现，地塌阎罗升堂，吭——；罪心罪行罪人，污身污口污脑，吭——；自来报，自择程，吭——；魂来随铃转，魂来随铃转，吭——”他念的是天师法收魂铃的启口，喘息在加剧，声音却越来越清亮高亢，每念一句都“吭”的一声呼出一口气，他面前的白色雾气越发浓了，而他手中的摄魂死封铃也有嗡嗡的响声发出。

收魂铃的招式需要有充沛气息垫底，陆先生不学功，也就没练过气，但他学过讨巧的“大换气”法，通过快速大口的换气来弥补底气的不足。所以陆先生的喘息不是累，也不是病，而是在换气。他喘得越厉害，也就代表招式威力越厉害，越是不喘，则越是没用。

“鼓自撞槌”是封退路的，进去的时候并不动作，所以他施施然走了进去，没有丝毫迟疑。

进到门槛里才两步，那四只瞿睢又飞扑过来，这一次陆先生只是看着那四个扁毛畜生，右手稍稍动了动。那四只瞿睢来势凶猛，可散开也快。还没等陆先生的右手从藤条箱中取出来，它们就已经四散飞开了，躲得远远的，痛苦地挣扎着，扑腾着。

“哼！”那个轻雾笼罩的身影发出一声冷得透骨的鼻音。

一阵响亮的呼哨声响起，驯鸟人在催促。可没用，鸟儿依旧扑腾，没理会这哨声。呼哨声变作一声一直不停息的长音，不知道这驯鸟的哪来这么长的气，哨音竟然久久不断。

那四只鸟终于再次聚到一起，合成一群再次朝陆先生冲了过来。

可这次它们的速度明显慢了，而且越接近陆先生速度就越慢，不止速度慢，就连翅膀拍动都有些无措和呆滞。死封铃的特殊声响只有一些感觉特别灵敏的动物和有第六感的人才可以听到。而瞿睢就正好是这样感觉灵敏的动物，被死封铃发的声波刺激，所以才会乱飞乱扑腾。而驯鸟人的长哨音扰乱了这种低频的声响，这才使瞿睢恢复了些状态。

接近陆先生的瞿睢飞得晃晃悠悠，在离陆先生还有不到两步远的地方已经如同是在原地扑闪翅膀，虽然身体还悬在空中，却丝毫不再继续往前了。呼哨的声响明显弱了下去，就算会一边玩吹口一边偷换气，可这样长时间的用力吹气也会让体力迅速下降，驯鸟人现在已经有底气却无底力了。陆先生的右手从藤条箱里拔了出来，此刻四只扁毛畜生在面前扑腾成一团，他是不会轻易放过这个机会的。手臂一扬，一把亮闪闪的粉末弥漫开来，将那四只鸟包裹起来。

陆先生游走江湖市井好多年，可他不懂怎么害人，他也不敢去害人。而被一些达官贵人、财主枭雄养着捧着的术师方士一般都会几手旁门左道设局害人的招数，或者是会制一些特别的毒药、迷药或者是可以采阴吸阳延寿滋颜的春药。这些陆先生都不会，所以说好人难得好报。

陆先生撒出的不是毒粉也不是迷粉，而是火粉，主要成分是磷，见风即着。龙虎山一派叫它“耀夜散”，江湖上也有叫“焚三魂”的。四只鸟儿粘上火粉，刹那间变作了火鸟，挣扎惨鸣着往回飞去，奔轿厅门口的那个身影直冲而去。呼哨一声接一声，却因急促和慌乱出现许多的破音和变调，四只火鸟就像是撞在墙壁上一样摔落在黑影的脚边。

空气中弥漫着一股羽毛烧焦的煳臭味，掉落在地上的鸟儿在抖动抽搐，身上已经所剩无几的几根焦黑羽毛冒着白烟。

“还行，当年没看错你。”那女人的声音这时才像一个正常人。

陆先生只是将手放在藤条箱中，继续喘着粗气，步步稳健地朝前走去。这一刻他感觉自己渐入佳境，驱魂铃招数运转起来后，就如同箭在弦上不能收回。尽管他还没有继续走下一招，只是将第一招“魂随铃转”重复了好几回，可就这一招汇聚起的不断流转着的力量、气息，就让他根本不曾想到自己竟然也能如此的强悍和无惧。

陆先生走出了门厅，站在院道上，见到轿厅门里站着的那位绣衣拥簇的女人。那是个长了一张狐媚脸的老女人，总也要有四十多岁的模样。面庞上半部分覆盖着一只金色的狸子面具，却怎么也遮不住那双妩媚的眼睛。这女人年轻时绝对是个能媚惑众生的坯子。

陆先生终于看清了女人的面目，他的气息猛然一顿，手中死封铃的转动也明显缓了下来，嘴唇有些轻微的颤抖，半天才从颤抖的嘴唇间吐出几个字：“你老了！”

“你死了！”女人的声音如同一块巨大的冰块砸向陆先生，“放固套，搔白首！”

俗话说，迂腐之人难动情，一旦动情似海深。陆先生看着这老女人，竟然忘了自己的处境，连女人的话也未有一字入耳。两家虽然都是摆弄机关消息、奇门遁甲的，但名称切口上却并不相同。不止他们两家不同，江湖上各家都有自己不同于别人的一套切口。这是为了防止对家人听懂。固套其实就是死坎面儿，女人看到活坎子在靠近陆先生时会出现错乱，不受控制，遂决定用死坎面来毁了这个老酸腐。

搔白首，顾名思义，不管少年和婆叟，一搔之下皆白首。就是说你在一搔之下就活到头了。

具体地说，这道坎面儿其实就是以应合了二十八星宿位的五指锥合罩撒扣。从门厅、轿厅共六开间屋顶的青瓦凹道中，按倒数星宿位的顺序落下。“五指锥合罩”，也是清宫内侍所用暗器血滴子的前身，但它比血滴子更小，攻击速度更快也更隐蔽。所以有人说血滴子毁的一般是空技，也就是不懂技击的人；而“五指锥合罩”毁的是练家。

已然皓皓白首的半调子练家陆先生，在那套口全张的“搔白首”之下，他那颗已然苍白的首级还能留住吗？

# 第三章　凭空飞来的致命暗器“五指锥合罩”

“五指锥合罩”其实是个圆滚滚的棉团，但它绝不是简单的棉团。罩子刚沾上身，绳索一收，棉团中探出的五支指形弯钩便齐齐贴住身体，将骨肉满满一握。然后随着绳索继续收力和人体的挣扎，指头会越收越紧，指尖也越扣越深，直到抓烂皮肉，骨断筋折。而且那手指骨节间还会不停地曲张蠕动，就像木匠用的“胡琴钻”那样，不断地往身体内部深入、钻刺、抓挠，这就是所谓的“锥合”。

## 牵刀射

被“天网罗雀”扣住的关五郎竟然还能站立在那里，不但站在那里，他还在努力地弯腰，难道他打算用脊背去抵挡天花顶上密密排列的九十九支凤嘴飞矛？难道他的脊背真的能硬过钢板龟衣？

凤嘴飞矛的矛尖闪着寒光，矛尾处的竹片绷得紧紧的，“嘎嘎”作响。关五郎知道这东西瞬间就会要了他的命，所以他在急切地挣扎、努力。但他这粗壮的身坯绝对不可能钻出网眼，他只是要将水磨生铁刀杆伸出去。

关五郎学的是圈儿刀，也就是“旋刀法”。这种刀法虽然没什么招式变化，但也不是单纯地抓住刀杆旋转砍杀，这刀法中还有“小圈”和“双圈”两种。小圈就是指单旋刀头或杆尾，双圈就是头尾一起旋动。这两个圈的变化不是依靠人的旋转来实现的，而是依靠朴刀本身的巧妙设计和机括的控制。

为什么关五郎的朴刀是水磨生铁杆的，而不是一般的白蜡木杆或是枣木杆，就是因为这刀杆中装有机括。这把双刃朴刀又叫做“如意三分刃”，它的刀杆可以断作三节，分别有链条连接，完全脱开后的刀形有些像三节棍。传说中二郎神的三尖两刃刀能够拐弯伤敌，这刀就是据此所悟制作而成。所以“如意三分刃”有个毒招，那是在旋身砍杀中突然脱开刀头或刀尾，改变砍杀方向，出其不意地伤敌。

关五郎心眼太实，刀法变化过多他接受不了，所以鲁恩和鲁盛义便在刀的设计上下了好多功夫，并请关外铁工奇匠任火狂精心打制，达到以刀设巧的目的，从而来弥补他技击招式上的缺陷。有谁会想到五郎这样一副粗笨老实样会在拼杀中突然使出阴招，所以只有对手想不到的，才是最有效的。

关五郎看得出刀刃部分太宽，伸不出去，所以他弯下腰，将刀杆尾部伸出了网外。机括打开，尾部一尺多长的一段铁棍变作了铁链连接。五郎凭借着身子的扭动，将铁棍旋转起来。棍形刚刚施展开，凤嘴飞矛就如同雨点一般射来。

飞矛被击打后飞溅开来，和旁边齐整整射下来的凤嘴飞矛搅作一团。只见飞矛、碎木、砖屑漫天飞舞。棍圈还是太小了些，两支飞矛偷了个空划破了他的臀部。

凤嘴飞矛落尽了，飞矛散落了整个厅堂。一般这样密集的杀招扣子都是净扣儿[1]，不会用浊扣儿[2]。因为在这扣子之下，要么你是高人一早儿就解扣松弦收不住你，但凡你落在扣子之中，就很难有生还的机会。对家的险恶程度是鲁家这些半身江湖半身工的人很难琢磨的。

关五郎没感觉到疼痛，而是一种麻痒的感觉。他斜眼看了一下脚边的几支凤嘴飞矛，亮闪闪的矛头上有些蓝瓦瓦的，那是泡过毒的。目前他只有两条路好走：要么平心静气放缓血流气息，等别人来救援；要么想办法迅速挣脱裹在身上的“韧藤马鬃网”，去找人解毒。

正在五郎踌躇间，一个声音让他很快作出了决定。那是鲁天柳的尖叫声，这声音对于五郎来说就是赴死的命令。

他没有将刀杆尾部收起，因为这样可以让朴刀变得短一点，以便能在网里调整过来。他先往前踏了两脚掌，将搭挂在身前的网绳死死踩住，然后才将身体往上尽力抬起。这样五郎的双脚与头顶成了两个支撑

1　一个种类，一次全部发射完。
2　多种类多层次，分阶段发射。

点，将马鬃网上下绷紧。

“韧藤马鬃网”韧性十足，像五郎这样用头和脚将它撑绷开来需要非常强劲的腰力。五郎从小就在河上摇船背纤，到鲁家后他做的是断木扛柱，这也使得天生神力的他更锻炼出一副骇人的好腰力。

“嘿！”关五郎一个发声用力，“韧藤马鬃网”被关五郎强劲的腰力绷扯得直直的，如同是琴弦在“嗡嗡”作响。韧藤和马鬃编缠的网绳竟然被拉长了半尺。

五郎将刀头横塞到马鬃网的网眼里，刀杆搁在肩膀上，然后再次吐气发声，将腰背力量施展到极限，与此同时，他右臂在刀杆上用力一个横砸……

“韧藤马鬃网”的确很结实。但不管多结实的绳索，在被拉长到极致后，就会变得很脆弱。从小就背纤拉绳拴缆系船的关五郎对于这些是非常清楚的。

扣子终于损了，“韧藤马鬃网”破了一个不是太大的口子，五郎一阵刀割手拉，好歹是钻出了困境。

刚钻出网关五郎就感到一阵晕眩，是毒气运转了。他将朴刀收回原状，撑住地面，稍稍定了一下神，便迈步朝墙壁那边的立柱走去，将耳朵贴在柱子上，眯着眼仔细地听。

这是“立柱”工法中的一种，叫“听隙”。造房子的时候，立起的柱子与梁椽、地基石座间的契合，连接柱与柱的跨梁与柱子的契合，这其中有好多是眼睛看不到的，所以为了辨别这些部分契合的好坏，就必须用耳朵听，这就是“听隙”的工法。这工法就是在一处柱、梁敲击，在另一处贴壁倾听，然后根据听到的声音，再根据木材的材质以及结构，来判断这中间是否存在瑕疵。一般的匠人只能跨一个点听，最多两个，而高手可以跨听多个点。

五郎此时就是通过柱子上的传音来判断楼上的情况。楼上早就没琵琶声了，而且刚才与“吴钩”对决的时候，楼上还发出一阵像是粗重东西砸在木地板上一样的空响。

而现在他通过柱子听到上面有一个他非常熟悉的脚步声，在躲闪腾挪。五郎的心放下了许多，身手如此敏捷，说明鲁天柳还应付得来。同时，五郎还听到另一个怪异的脚步声，比鲁天柳的要笨重，但也是十分迅捷，正在追逐拦阻鲁天柳。

五郎没有多想，他从圆筒形的竹篓里拉出了一根极富弹性的绳子——“捻股牛筋绳”，将绳头两端各挂在两根柱子上。这“捻股牛筋绳”是立柱时用的定直绳。竖起的柱子要保证笔直不斜的话，就必须经过多次调整，用这绳子将竖起的柱子四面固定住然后进行调整，既可以保持柱子不倒，又能在不解开绳子的情况下推拉垫移。明朝无名氏修撰的《新工智物说》[1]有记载：“西地匠使筋带竖杆柱，力工皆简。”

柱子上原本就有挂“韧藤马鬃网”的铁扣，所以绳子很容易就被系牢在柱子上。五郎再将自己的“如意三分刃”搭在绳子上，然后往后退步，将绳子拉直，绷紧，就如同是在拉一张巨大的弓。他朝其中一根立柱的方向后退，这是“立柱”技艺里“两柱定角位[2]”的工艺方法，而在这里却变作威力巨大的“筋绳牵刀射”，这可是地地道道的杀人技法，是五郎在学习“立柱”一工时，鲁恩帮他琢磨出来的，为练这个他可下了不少苦功。

五郎终于将绳子拉到柱子前面，他一边拉住绳子，一边将耳朵贴在柱子上，他必须听清楼上的声音才可以将朴刀射出去。可就在此时，毒

1 明朝无名氏修撰，记录的主要是一些新的工艺技法，其中有很大一部分是域外传来的。此书其实对当时中国工匠具有很好的指导和提高作用，但由于中国迷信封闭的社会环境和人们固执保守的思想，所以对这部书中所录技法有很大的抵触。此书只出了一两版便不再刊印，存世极少。

2 古老的木工技法。通过两根立柱之间的距离、高度，拉绳确定出整座房子的屋角位置，檐角位置，脊角位置，从而计算出所需材料的多少和规格。

性再次发作，他感到脚下发软，身体再也抵抗不了“捻股牛筋绳”的巨大拉力，一时之间他不知道应该随绳滑回原地还是松手射刀。

只是这一犹豫间，手中没能抓牢，“如意三分刃”飞射而出……

鲁天柳面对那尸臭越来越浓重的女人，她脑中没有一丝对付的办法。因为不管是“辟尘”一工还是陆先生教授的粗浅天师法，都没有涉及解决活尸的技艺，所以她只能躲。

鲁天柳展双臂侧向滑步，步伐并不大，身子的拧转幅度也不大。整个滑步过程中，两手中的飞絮帕很自然地挥舞了一个太极绕。那身段真是又美又轻巧，就如同抄水的燕子。

女活尸连连扭动，双脚竟然也离地而起。虽然不是太高，只有一寸左右，但却能纵出很远。特别是落地前，女活尸的脚尖几乎是在地面上拖行的，就好像一只肥雁滑翔落下时脚蹼划过水面。

虽然动作上差异很大，但结果却是一样的。鲁天柳依然没能摆脱女活尸，那女活尸依旧和她面对着面，成一个斜线的对峙，将她封挡在燕尾形双楼梯左侧的楼梯口。

鲁天柳的眼睛余光瞄了一下周围的环境，她知道自己可以慢慢朝楼梯口后退，然后找机会溜下去。可是她上来的那侧楼梯是有厉害坎面的，那么这左侧的楼梯必定也有。就算另一边同样是“匣中刺”坎面儿，要想脱身也非常困难。

鲁天柳心想：逃肯定不容易，那何不索性和这怪东西好好周旋周旋，拆了这个尸坎。

她没再滑步，也没纵跳，更没往楼梯的角落退逃，而是趁着女活尸还没有完全封住往戏台方向的去路，便迈开莲花碎步，蹿了过去。女活尸明显是顿在那里了，也不知道这是呆了、愣了还是傻了，反正在鲁天柳走出五六步后，它才一扭一拐地跟了上来。

看着女活尸跟过来，鲁天柳也有些发蒙了，因为那女活尸是倒退着跟过来的，也就是说它不会转身。难道真是传说中的“尸走直线鬼走飘”？不对呀！那走直的尸体应该是僵尸，而不是软塌塌的活尸呀。

鲁天柳走的是双臂夸张摆动的莲花步，见女活尸跟上来，便更加卖力地将双臂甩摆成两朵花形。就在右臂那朵花摆向前面的时候，飞絮帕出手了。

这飞絮帕背后有一条细钢链，毛茸茸的帕子里藏着一个小钢球。这帕子其实是采用单链流星锤的原理，但使用时比流星锤要灵巧得多。运用“辟尘”一工中力、巧相合的“链臂”技法，可以站在地上就抹掉匾额后、梁缝里的灰尘污垢。其实鲁家六合之力中最难寻到合适人选的就是“辟尘”，这工法不但要练轻身功夫，手上也必须具备刚柔并济的功力。这“链臂”技法要是练到极致，链臂抖动，飞絮帕旋裹，一把就可以将撒在地上的一碗绿豆扫起来。

飞絮帕飞出的距离并不远，缠住了墙边一只花几的腿。鲁天柳手中猛然带劲回拉，花几就那么竖着飞向女活尸，重重地砸在它的身体左侧。花几上原来摆放的花盆在快摔到地板上的一刹那，被鲁天柳一个跨步抄了起来轻轻放在地上。不知为什么，鲁天柳天性中就特别珍惜这些花草枝叶，她觉得它们和人一样是有灵性的。

女活尸被砸中的声音很沉闷，它被横向砸出去，但不是摔出去的，也不是踉跄着走过去的，而是直直地滑出了四五步远。

这花几的材料是老酸枝木，棱角的硬度不亚于一个铁榔头。女活尸的左额上被几角砸出道裂口，绽成个嘴唇一般，流出一股股黄色脓水，腥臭无比。

鲁天柳又将一把直背窄座的太师椅甩了过去，这次女活尸躲开了，而且躲得很巧妙，几乎是从椅子四脚的空隙钻过去的。

又一把太师椅飞出，几乎是往上抛起再落下，但这次女活尸躲都没躲，因为那椅子不是砸向它的，而是朝着另一侧的楼梯落下。

一阵轻滑而快速的声响过后，太师椅只有一个椅背飞起落在梯口。椅背落下的瞬间，鲁天柳看到的是很光滑的切口。果然如她所料，这里有个更厉害的坎面。

女活尸趁这空当再次逼迫过来。这次它的速度快多了，两下扭动就已经到鲁天柳的面前。鲁天柳只能继续朝着戏台退逃，因为那里有许多桌椅，对于怪异扭走又不能纵高的活尸很不利。

这戏堂里的第一道桌椅是单面朝向的檀木桌椅，桌窄椅大，那是主人和贵宾才有资格坐的；二道桌椅是红木材质，大理石面，三面坐人，桌小方正，椅子座窄背直，这都是家中晚辈旁室以及陪客们坐的；第三排是两椅之间一窄几的摆法，这一般是贵宾的高级下属和关系较远的亲戚坐的；这再往后就只有窄椅，没有桌几了，那都是些坐不住的孩子、门客、账房先生、教书先生和管家坐的。

但是鲁天柳没想到，桌椅虽然很多，女活尸的行动却未受影响，速度依旧不慢，好像是很熟悉桌椅的摆放位置。它先从二道桌椅与三道单椅间的过道侧纵出几步，回到楼梯口的过道上，然后继续后退，也是朝着戏台的方向。可以看出，它只能在过道和前后桌椅的空隙中行动。

眨眼间，女活尸逼近了。就在此时，鲁天柳突然朝右边楼梯口纵身而去，那活尸肯定是不会让鲁天柳得逞的，它的目的就是要封住鲁天柳逃走的路径。

鲁天柳只跃出了一半就在一张大理石面的桌子上停住。这是听戏的二道桌椅，也是其中最靠近右侧楼梯口的那张。她看准的是楼梯口的那根撑柱和后墙之间的方架梁。右手甩出飞絮帕，缠住了那方架梁，然后腾身而起，飞絮帕链条绕腕回收。眼瞧着链条收得差不多了，她手中猛然一带，腰背用力，在空中将身体侧转过来，就像躺在空中一般。她是要横着身体从女活尸头顶飞过，然后链条会带着她绕个弧线，正好可以让身体摆过楼梯扶手直接落在外侧的搁边上。

鲁天柳的计划可以说是巧妙到极点，动作也和她所想的一样不差分毫。随着链条横飞，身体就如同一片贴着水面飘扬的柳叶，轻巧秀美。

就在鲁天柳紧牵着钢链将身体在空中横摆而过时，突然见到女活尸手上尖利如刀的血红色长指甲，而且这指甲直奔她的眼睛刺来。

是的，鲁天柳万万没想到女活尸其实是能跳跃的，而且跃起的高度与它丰腴的身体极不相符。

鲁天柳必须躲开，她只有一个办法：松开手中链子。在尖利的指甲离她的眼睛不到三寸的时候，她手腕一抖，松开了链条，身体改变了方向。尖利如刀的指甲挑断了鲁天柳头顶上的几根头发。

鲁天柳摔向后墙，距离还有两尺左右时，她双脚在墙壁上一踩，借力弹出，再连续几个翻滚卸掉冲力，站起身来。

还没等她站稳，女活尸又一扭一拐地朝她逼迫过来。这时她发现自己又回到了左侧的楼梯口，那个不知暗藏着什么厉害坎面儿的楼梯正如同怪兽，张大着嘴巴等着她。右侧的楼梯口，飞絮帕孤零零挂在方架梁上，像风中的柳条一样悠悠然地摆动。

两个楼梯口之间，女活尸正在扭动脚步进逼过来；左侧的楼梯口，鲁天柳站在那里却一时不知下一步该如何动作。

# 碧池红

炸鬼嚎中的鲁盛义只求速死，但他已经被那鬼嚎声夺去行动的能力，所以尚存的一点心智驱使他竭尽全力打开自己的木提箱，因为其中有可以让他轻易自杀的巧玩意儿。

风声变得更大了。倒在地上的鲁盛义感觉到自己马上就要失去仅存的一点意识，他知道，这点意识一旦丢失，他就永远不会醒来了。

鲁盛义终于摸到暗档口子，可是他所剩的那点力量已经按不动这档口了，他只好利用身体的重量，尽量将手指往后别，然后压了上去。

一根手指撑不住他的身体，地上的木提箱也撑不住他的身体。鲁盛义斜倒在地上，木提箱也倒了，但暗屉终于打开了。

倒在地上的鲁盛义费力地将眼球转向身旁的木箱，他彻底绝望了，打开的抽屉里没有自己要的东西。因为手指被身体压下时移动了位置，打开的只是一个明屉，是平常用来存放“定基”一工所需的蜡线、叉镜、线粉、带尺等等常用物件的。这些杀不了人也救不了命的玩意被一股脑儿撒在了敞开的明屉之外。

绝望的鲁盛义有些沮丧，更有些无奈，他用尽最后的一点力气将自己的手放在那堆没用的东西上面。他知道到了最后的时刻了，因为加诸身体上的痛苦已经没有那么强烈了。

无力的手指在那堆东西上胡乱抓了一下，一张薄薄的纸被掀开了。那是一个四面折叠却未封口的大纸包，里面是“定基”一工中“布围”

之法要用的线粉。

纸包的一角被掀开，线粉便被旋道内那强劲的风吹散起来，顺着那旋道弥漫开去。

线粉，又叫“呛粉”。有何作用？定基时先要布围，就是用这线粉将要定基之处大概圈起，并用纱布包住线粉，在圈里每隔五步打一个梅花斑纹格。待九个昼夜之后，再用叉镜、蜡线定基点，用带尺分基距。

明末《南游趣录》[1]有云：“巴蜀之山地阴潮多毒，虫蚁肆生，每旬须布呛粉却之。”

古籍残卷《异开物》[2]也有记载：“有南山匠取辣、麻、火、迷、腐调治为末，称呛粉。铺屋驱毒邪。”

呛粉，是用广西倒椒粉、无舌草粉、福建硝石粉、云南曼陀罗花粉、山西老醋粉调制而成。广西倒椒其辣无比，无舌草一舔麻如无舌，硝石也就是火药，曼陀罗花是蒙汗药的主要成分，醋粉不止是奇酸，而且有轻微的腐蚀性。用这些刺激性极大的东西调制的呛粉在地上布围并打斑纹格，这方圆以内，地下五尺，地上一丈，所有虫蚁蛇鼠雀会全部逃离。这样既可使好风水的宅地洁净无异，又可以不伤生灵，为后代子孙积德。

呛粉在封闭的旋道里飞扬弥漫，那循环不停的劲风将它带到这洞道里的每一个角落、每一个孔眼，也带到那个与旋道相接并向旋道里鼓风的封闭密室，一个过风却无声的地方。

这下子，受到煎熬的不只有鲁盛义一个人了，躲在密室里的人此时并不比鲁盛义好受。那五粉合成的玩意儿可以让地下五尺的活物全都逃

---

1　这是一部小册子，记载的是现在四川、广西、云南一带当时的风土人情、地貌特产。关于这本书的作者，说法很多，有说是徐霞客，有说是陆晨涯，还有说是当时的川郡安抚使裴雪枫。

2　一部收录了古今天下奇异物件的书籍，不知出自哪朝哪人之手。清中期京林印书厂整理重印白话版，改名为《奇异物成录》，而其中所录多少为实，无法佐证。

走，更何况是大活人。

旋道里的风还在强劲地吹着，而且变得越来越强劲，但这强劲的风不再回旋不停，封闭的坎面儿开了缺，就如同拦洪的堤坝决了口。强劲的风挟带着呛粉，更挟带了那些让人丢失魂魄的鬼嚎声，从这口子里冲泻而出。

渐渐地，假山洞里各种奇怪音响变作了一个单音，那是劲风冲过口子的声音，那声音如同是在撕扯帛布，随着口子越撕越大，声音便越来越轻。

鲁盛义趴在地上，一时之间恢复不过来。他的手脚仍然没有一点力气，耳朵仍然轰响如雷，脑子仍旧混乱如粥。

可他知道这是个机会，他必须站起来，也必须走出去洞去，不能等对家恢复过来，重新撒开扣子。

站起来并不是难事，像鲁盛义这样流了一辈子血汗的硬汉子就算死都可以站着不倒，可是要走出去却不是一件容易的事情。洞道里依旧漆黑如墨，洞道口也封闭未启，如果刚才那阵风没停，倒是可以循着风找到与旋道相连的密室，找到坎面的缺儿，从那里脱出，可是那风没了；就算没有风，密封通道中的气流走向在坎缺那里是有变化的，可以顺着找到缺儿，但这细微的变化却不是他可以感知的。

鲁盛义定了一下神，他用袖口擦擦额头的汗水，才发现手中抓着一样东西。那是他挣扎着站起时，在地上胡乱抓住的，他竟然一直毫无感觉地抓在手中没有丢掉。鲁盛义的双目开始放光了，这东西给了他脱出坎面、重归生天的希望。

鲁恩面对只剩两个“吴舞佚”的坎面儿，情形却更危险了：他的右手无法动弹，双脚又陷在湿泥里一时拔不出来，可前后的夹击他又必须躲让。一个无刀的刀客，一个无法移步的目标，一个被坎面扣住的破瓜，必死！

从石阶上直撞过来的是一块流血的“石头”，所以鲁恩看不到那人坎身体各部位到底是如何分布的，就连刚才被那石头抢过去的刀也已经找不到了。而背后从水面上跃起扑杀过来的人坎他更看不到，也来不及回头看。

对于这种局面，鲁恩只能往前顺势扑倒。扑倒的同时，他咬住鱼皮护套的一端，而且在身体扑下一半还未到，已经将左手与嘴巴之间的那端鱼皮护套做了一个拴梁扣，这是“固梁”一工中最常用的绳扣，也有叫“木工扣”的。这绳扣可以越收越紧，也可以一松即脱，极为方便。

流血的“石头”撞向鲁恩，却没想到鲁恩竟然反向自己下半身撞来，这是什么怪异的招式？这样的招式有什么企图？鲁恩在过廊里给他大腿上的一刀让他心有余悸，所以这次他反倒不敢再莽撞了。而往前的冲劲又让他没法子朝两侧躲避，更无法往后退让，所以他只有将身体纵高，想从鲁恩身体上方跨越过去。

人坎身上有模仿石头、地板、花荫小道的装束，厚厚的行头再加上腿上刀伤，让他行动很不方便，也纵跃不高。所以为了避开鲁恩，他跃起的同时尽量将两腿劈开，用以增大自己与鲁恩身体间的距离。

水色锋芒跃起的高度也不高，因为太高了速度会下降，冲击力也会变弱，而且鲁恩肩膀上插着的乌铜短矛会影响他弯刀的攻击角度。

鲁恩身体突然往前扑倒，这是出乎他意料之外的，为了能击中鲁恩，他将持水色弯刀的右臂尽量朝前伸出。

结束了，一切只是瞬间，在一声惨呼中开始，还是在这一声惨呼中结束。

这样的结局都如鲁恩所算，值得庆幸的是没出丝毫意外。这样的结局那两个人坎做梦都不可能想到，他们死都没明白破绽在哪里。

鲁恩使用的是战场上两阵对战时险中求生的搏命招数，为武林中高手所不齿，但却在混战中非常实用。鲁恩不但会这样的招数，而且还进行了改良，让这下流招儿变得更可靠，更实用。

两个人坎也算不上真正的武林人，他们的攻杀技法略显稚嫩，显然是实战的经验和见识少了。这可能和他们学习“吴舞佚”技法，布“三才气合”局有关。这样的人坎是固地杀手，只能在特定环境里守株待兔，他们三个大活人和那些死坎面儿里的长矛弓弩没什么区别。这种人坎虽然和专门负责外务的攻地杀手一样练武，甚至有些守家的固地儿比外派的攻地儿的武技还要高，但在实战经验上却是一个地一个天。说句不算夸张的话，固地儿杀手有可能多少年来连个人都没伤过。

一个老江湖对付两个没经验的人坎，这是鲁恩的优势。

动刀枪拳脚的人，不管他是穿甲戴盔的将军，还是路边卖大力丸的，最重要的就是各个关节要运转灵活，特别是裤裆的部位。如果这位置也放上护甲来护裆，那别说是动武打架，就连走动都不会方便。那石头装束的人坎也是一样，虽然身上累累赘赘的装束好几层，但他一样是穿的宽松的娩裆裤。

所以石头人坎刚分腿跨越，鲁恩系好的木工绳扣就已经将他的阴囊一股脑儿全锁套住了，然后手和嘴一道用力收勒。男人最痛苦的莫过于这个软弱部位遭受打击，石头人止不住发出痛彻心扉的惨呼。惨呼让那个从水中扑杀而下的人坎一惊，一惊导致一愣，一愣则必然迟疑、疏忽、无措。

水中扑出的人坎迟疑了，也疏忽了。因为他扑下时视线和鲁恩肩上插着的乌铜短矛重合，所以此时他眼中看到的短矛是一个点。而鲁恩扑倒在地时已经让短矛的矛尾抵在地面，并由地面、肩头以及石头人坎的裆部形成三点支撑。

人坎的刹那无措让他失去了变招的机会，他无可奈何地将水色弯刀落在突然停滞不动的石头人坎身上。当发现面前的那个圆点其实是矛尖时，他已经没有躲避的余地了。矛尖从他下颌插入，从后脑冒出。乌铜短矛阻断了他的喉咙，阻断了他的惨呼，也阻断了他的生命。

石头形的人坎也没了声音，水色弯刀是锋利的，刀尖划开了他的面门、胸膛、肚皮。被刀劈出的石头缝流出了鲜血，也流出了肚肠。

鲁恩松开了鱼皮护套，大力的拉勒使得护套上的黄铜鹰嘴搭扣划破脸颊和嘴角，让他满嘴都是鲜血。石头人坎朝前倒去，与水中人坎呈“人”字状支撑在一处。鲁恩将短矛尾端从身体里拔出，肩头留下一个喷溅着鲜血的圆洞。然后仍将短矛尾撑在地上，支撑着两个人坎的尸体。摆脱了短矛对身体的牵缠后，推开石头人坎流在他身体上的肚肠，从两具尸体中间爬了出来。

鲁恩满头是汗，满身是血。这场搏杀虽然惊心动魄，但其实前后只是两招而已，所耗体力也不大。他这满头的汗多半是因为紧张、伤痛。而满身的血，有他自己的，更有其他三个人的。

他左手在石头人坎身边的血污中捡回自己的刀，然后刀尖点地慢慢爬起来。可就在他的身体快要站直的瞬间，池边小楼的二层窗叶一晃，一道红光飞来。

红光的速度很快，但鲁恩早有留心。他就怕对家趁着自己状态未复之际，再有坎扣偷袭，所以很容易就躲开了。而他身后那两具尸体被红光击中，发出沉闷的响声倒进了池塘，浮在水面上燃烧起来。火焰不是很旺，却发出很红很红的光，让碧绿的池水、枯黄的草地、淡青的石阶、深褐的树干都染上一层嫣红。

躲过红光的鲁恩突然变得无比迅疾，像豹子般纵出。他是想按刚才走到池塘边的路径重新奔回到过廊。在坎面中，正路是生死两算的路，而旁道却是死路。他刚才已经被人坎诱出了正路，陷入三重杀的坎面中。如果不想再继续遭受这样的坎面袭杀，现在就必须回去。

## 火欲旺

陆先生技击方面的弱点是经验不足。一个一辈子没打过架的人单靠平时的闻听和见识，是不够的。天师法驱魂铃中只有“撒豆成兵”这一招对付“搔白首”这样的坎面儿还有些效果，而陆先生现在用的却是“天师点符”，虽然这一招很快，但只能挡掉视线范围内的十九只“五指锥合罩”，至于背后的另外九只，他看不到，也顾不上。

“五指锥合罩”其实是个圆滚滚的棉团，但它绝不是简单的棉团。罩子刚沾上身，绳索一收，棉团中探出的五支指形弯钩便齐齐贴住身体，将骨肉满满一握。然后随着绳索继续收力和人体的挣扎，指头会越收越紧，指尖也越扣越深，直到抓烂皮肉，骨断筋折。而且那手指骨节间还会不停地曲张蠕动，就像木匠用的“胡琴钻”那样，不断地往身体内部深入、钻刺、抓挠，这就是所谓的“锥合”。

此时罩子里的钢指已经深深抓住了陆先生的皮肉，九只“五指锥合罩”的四十五只指形弯钩抓出了四十个血洞。对，是四十个，因为其中有一只被陆先生缩脖一躲，抓在了陆先生花白的发髻上。

绳索迅速收短，陆先生被往后拖拉着，快被拉进门厅后门时，身体一下被提了起来，横挂在屋檐之下。血如同初春的小雨，淅淅沥沥。他已经不再大口喘息，而是小口小口地倒吸着凉气，吸得嗞嗞有声，那是疼的。

他就像过年时腌挂的咸肉，要从那些钩子绳索中挣脱出来已经不可能了。他只能尽量翻转右手，将死封铃挥起来往背上系罩子的绳索砍去。几次的努力过后他发现这一切都是徒劳，而且动作越大，钢指往肉里钻得越厉害，疼得难以忍受。陆先生慌乱了，看来自己这把老骨头真的要扔在黄泉道上了。黄泉！一想到这，他突然安静下来，不是因为绝望，而是需要冷静。藤条箱悬挂在他脖子下面，盖子依然开着……

黄泉开道，鱼死网破！陆先生将死封铃的把手咬在嘴里，伸手探向竹藤箱子，够不到！手指才碰到箱子的口沿，背心处和头顶就有一阵剧痛传来，而且眼前出现了一个让他不能不重视的情况，被格挡掉的十九只扣子正在收回。这就意味着弦簧在重新收紧，坎面在恢复。要是对家来个“同坎二动”，那这十九只罩子他就一个都没办法挡开，自己这瘦弱的身体将被这些个鬼爪撕扯个粉碎。

必须抓紧时间，陆先生忍着浑身的痛楚重新拿起“驱魂死封铃”，然后手腕不住摆动，让铃把儿在手心里快速转动起来。当达到一定转速后，陆先生咬了咬牙，猛然将铜铃刃口往自己头顶发髻那里切割过去。

扣子忽然动了，牵扣子的人看出陆先生的企图。陆先生的头被拉得更紧，往后仰得更高。陆先生没有理会，死封铃继续往头顶切去。

发髻脱落了，抓住陆先生头发的“五指锥合罩”飞弹回去，带走他的发髻，也带走了一片血珠。

花白的头发四散开来，鲜血顺着头发缓缓流下，让那些散乱的头发沾黏成团。血花也溅满了陆先生消瘦的脸，让他的面目刹那间变得狰狞，就像是血狱里爬出来的鬼魂。

陆先生依旧那样仰着头，好一会儿才重重地颓然落下，不再动弹，死了一般。滴血的头颅垂挂着，滴血的头发垂挂着，握着死封铃的手臂也垂挂着，一直垂挂到下面的藤条箱里。身体各处流出的血在右手臂上汇合成一处，如同是在描绘一株血红的老梅枝干。

死了？就这么死了？

死了，应该死了吧。这么把年纪，这么把瘦骨，能流出几升的血？能扛住几分的痛？

那十九只“五指锥合罩”没再撒出来了，轿厅里的人倒施施然地走了出来。她的声音重新变得甜腻，而且还有少女样的怯怯然：“呦呦呦，这许多血呢！”说着话，她伸手想去抚摸陆先生那滴血的头顶。

谁都无法想象，这样的甜腻腻娇滴滴的声音是从一张掉落了两颗牙齿的半老婆子嘴里说出的。而且是面对一个垂死的生命，这般的扭捏作态简直可以将死人都恶心活了。

陆先生不知道是不是被恶心活的，他猛然间仰起头，垂挂着的头发甩出血珠无数。同时从藤条箱里抽出右手。手中不见了死封铃，却带出了一朵小火花。火花只飘出不到一尺，他又迅疾地掏出一个皮囊一捏，射出一根浑浊的水线，直追那火花而去。

火花是个很平常的东西，江湖人叫它“夜行火绒”。是将一线火芯闷裹在绒条中间，塞在带盖儿的紫竹管中。一抖一吹，就能燃着。而且还可以用紫竹管中的机括，将燃着后的火绒一截截弹飞出去。

那浑浊的水线倒不是个平常的东西，《西域异物录》[1]有记：“雁落漠西沿极巨之山，名黑烛山，不可攀，山底有洞不知其深，入内八百步有泉，色黄极易燃。”《异开物》也有记载：“西方黄泉，藏僧带入中原，易燃难扑，为燃物之最。”

这黑烛山脚底下所产黄色泉水其实就是一种纯度极高的火油，类似现在的汽油，而且燃烧能力和速度都不亚于汽油。这是陆先生跟一个贩卖波斯银器的沙海客用一对玉石虎换来的，那沙海客非常慷慨，将能把油料压射成线的小皮囊也一并给了他。这皮囊其实是海外巧匠制作的

---

1　不知道是否确实有此书，只是在《史遗》一书中对此书和其中一些内容有提及，据说是以唐朝时西域小国递上的贡物呈册汇编而成。

“双层压射皮盒[1]”。

那老女人看到陆先生突然活了，并没感到一点意外。她还是了解陆先生的，这个老东西没那么容易死。让她意外的是一朵火绒爆作一个火团，一注水线烧成一根火柱直奔自己而来，但老女人的反应出奇的快，火团还没有完全爆开的时候，她就已经闪开身形重新退到轿厅里面了。

火团也没有停止，一直追到轿厅的门口，顺着门叶、门框、木壁、厅柱蔓延开来。

陆先生笑了起来，声音不大还有些怪腔怪调，“嘎嘎呦呦，嘎嘎呦呦”。身上各处的伤口带来的阵阵剧痛让他不能放声大笑。

火团没烧到那老女人，可是却让她在轿厅里气急败坏、咬牙切齿：“这个老杀才，真是个百足之虫，差点毁了我的脸。”但是马上又变回甜腻柔缓，媚声说道：“给我撕碎了他……”

戴面具的女人本意是发令让手下锥合罩齐动，将陆先生那把没肉的老骨头撕碎，可还没等话说完，她就被眼前的一幕情形震撼了。

陆先生没有熄灭手中的火柱，而是将那火柱竖了起来，就好似一个火焰喷泉。火柱直冲门厅檐额，化作火雨四溅开来，就如同过年燃放的焰火一般绚烂。

火光之中，陆先生披头散发，满脸血线，面目狰狞，眼射凶光。散落而下的火雨点燃了他的棉衣，背上无数的焦洞一起冒着青烟。有火星散落在他的脖子、耳朵、面颊上，瞬间胀起了一串串紫黑色的燎泡。

虽然只是在门厅的檐下，那些檐椽、边梁、描花木挂表面的三层生漆和两道桐油很容易就被引燃，而火一旦入到门厅里面，很快就会顺着木门木框、木柱木壁的江南砖木结构蔓延开来。门厅烧着了，也就会烧

1　双层硬牛皮制成，一层为储液盒，一层为压盒。储液盒前端有喷嘴，压盒在后面一推，储液盒中液体便从喷嘴射出。其原理类似于医院里的针筒，只是反复推送时前端液体喷射不会间断。

到“五指锥合罩”的吊绳。

刹那间，陆先生横悬着的身体上方是火光熊熊，烟雾滚滚，一时弥漫到整个院道和两进厅房。而此时陆先生却更像火窟里的鬼，像血狱里的魔。他又开始喘息起来，口鼻处的白雾纠结成一团。

他忍住剧痛，暗暗运力下坠，要将那烧着的绳子拉断。这一刻，除了木料燃烧的“毕剥”声，竟然有皮肉的撕裂声。

“啊哦——”那是一种撕心裂肺的惨叫，陆先生拼尽全力，挣断了吊绳，摔落在地上。皮包着的骨头与青石地面重重相撞的声音听起来非常地瘆人。

他没有马上站起来，而是直接朝着轿厅的大门爬去，边爬边推着面前的藤条箱。剩下的锥合罩始终没有扣下来，因为轿厅里的老女人号令发到一半便止住了，没有听到完整的号令，没人敢自作主张，否则他们的命运会比坎子中的人还惨。

轿厅的大门已经变成了一个火洞，陆先生想都没想就扑了进去。果然如他所料，里面没有火。这轿厅很是空荡，没放轿子，也没有那女人，就只有轿夫歇息的两张大条板凳左右贴墙放置。

老女人哪里去了？她已经退到了轿厅里侧的天井里。

那女人忽然一言不发了，宽大的袍服拢住了她的整个身体。与先前不同的是，她的脸上不知什么时候换上了一只青铜色的狸子面具。

“啊，狸子哉，侬家果然也参透了那个画哉。”陆先生趴在地上喘着粗气，但说话没有一丝停顿，依旧非常的爽溜儿，一点也听不出来这是个浑身伤痛、站都站不起来的老人，这就是龙虎山学来的换气法。

那女人没有搭理他，反倒又朝天井里退了几步，静静地站在硬山式砖雕门楼下。这让陆先生感到奇怪，此时她不管是发怒还是造作，都应该说些什么呀，怎么突然间转性了？陆先生眯缝着眼睛仔细打量了一下面具背后的那双眼睛，已经没有二十年前那样水灵了，也没有二十年前那样明澈了，更没有二十年前狐媚了。不！这眼睛不对！面具背后已经不是那个会发狐骚的老婆娘了。

陆先生哈哈大笑起来，此时的笑声中竟然没有一点痛苦："依屋里厢今朝女人当家，怎么啥事体都让那个老婆子溜来溜去哉。"

陆先生说这话的时候死死地盯住面具背后的眼睛，从中看出了那人的惊愕。当家的太后突然让个傀儡替自己站在这里，是因为里面有其他人搞不定的事情，多半是对家的奴才们没伏得住鲁家的那几位。这让陆先生大松了一口气：他们还在里面，他们还不曾有什么大事，不知道他们已经撕破了几层围子，肯定少不了！要不那老女人也不会这么着急地赶过去。

戴青铜色面具的女人当然是不会让陆先生轻易就爬进去的，因为她知道，要是轻易就让这个浑身是血在地上爬行的老头儿进去了，自己肯定不得好死。

她从天井里迈步走进轿厅，脚步里没有丝毫的高贵和优雅，哪里像刚才的太后那样风摆杨柳样的身姿，根本就是个干粗活的仆妇。

女人迈着挺大的步子来到陆先生身边，蹲下身来，一双白胖的手软软地握住陆先生的左手臂，将陆先生轻轻扶起来。动作的轻重和位置都恰到好处，让陆先生觉得这应该是个带过孩子的仆妇，或者至少会些推拿松骨手段。

陆先生大口喘着粗气站起来，被这样小心地侍候着让他很不自在。这女人是个傀儡，可并不代表她就无能。女人的左手三指捏着他阳溪、阳池、支沟三穴，右手也有三指捏着他肘弯处的曲池、手三里、清冷渊三穴，这让他怎么能够自在得起来。

陆先生感觉那女人的手的确很是柔软，软得就好像是没揉好的湿面团，沾在他手臂上就甩不掉。女人扶着陆先生转过身去，小心地往轿厅的前门走去。

虽然这只是个仆妇，可是这般的温柔体贴，让这辈子只在二十多年前体会过一次女人滋味的陆先生如何能够抗拒？他不由自主地跟着往前迈步。

可他也真是不够争气，在如此温柔的搀扶下，第一步就迈出一个趔趄，被女人柔软的手轻轻地带住，身上的血又溢出许多。女人也没有一点嫌弃，依旧扶着没松手，任凭湿漉漉的血液浸透她的衣物。

陆先生好不容易稳住身子，将一直伸在藤条箱里的右手顺势搭在女人的左手臂上。也不知面具背后的女人是什么表情，她只是没有避让，因为被陆先生搭住的地方是空节，也就是没有重要穴位的地方，而且还有着厚厚的棉袍服隔挡。

两人走到轿厅另一端，此时大门堂已经变成一堵火墙。灼热的火焰让陆先生的额头冒出豆子大的汗珠，让他满脸的血线也变得模糊起来。

女人止住了脚步，身上衣物的布料因为干燥变得蜷曲，再要往前恐怕那热浪就要让青铜面具在她脸上留下永久的烙印。即便这样，陆先生却没有止住脚步，他继续踉跄着朝前。女人惊愕了，这个老头是疯了还是自己寻死？本打算将他扔进火里，这下倒省得自己动手了。

陆先生就像是非常渴望投入到火墙中一样，右手离开女人的臂膀，急切地伸向火墙，身体也随之一道依附过去。

女人看陆先生好像有些够不着，于是松开了他的肩膀，但依然牢牢抓住他的手腕，看来她是坚持要将陆先生小心地送到火墙里才能放心地松手，真是个耐心、细致的女人，对待陌生的男人也能这样无微不至。

陆先生的右手无奈而从容地伸进了火里……

# 第四章　身陷暗合北斗七星的鬼障园

对家有一绝妙坎面叫“咫尺千里路”，与鲁家的“大石龙形绕”有异曲同工之妙，都是用北斗七星连头尾二担星，再暗合斗转星移之法布置的，这样的布置只需用简单的几件物什就可以让人无法脱出……两处灌丛，两片花圃，一块太湖石，一个荷叶缸，一道荆棘墙，正合北斗七星数。可是那头尾两处二担星的六颗星位又在哪里呢？找不到这六处星位就只能在这坎面的正中打转，连个坎边也无法摸到。

## 琵琶射

“弦拉刀射”，五郎将“如意三分刃”飞射而出，可这是盲目的一击，没有目标。刀落在他平常“立柱”技艺里“两柱定角位”的那个角上。那是一根撑柱的顶端，刀撞开了木楔垫块，斜斜地从楼层木板缝隙中插了进去。只插进去一点，不多，因为刀的另一侧刃口被立柱顶抵住，不能继续往前。也正是因为如此，这刀卡得很结实，刀杆发出“嗡嗡”的震响。

五郎见刀已飞出，却未能达到设想中的效果，心中不由一急，毒气随血而动，眩晕冲击而来，眼前有无数星星飞舞，脚下是万丈波浪颠覆。于是他全身硬撑着的劲力彻底松了，直直地倒在地上人事不知。

“弦拉刀射”的力量的确很惊人。楼上的鲁天柳明显感觉到整个楼面一震，桌椅也都轻微跳动了一下。被绷拉得不前不后的女活尸也狠狠地抖了一下，就连戏台上干瘪的男尸也随之一震，身上、脸上的石灰粉扑簌簌地往下落。

鲁天柳刚才是被女活尸阻住下楼的道路，重新又逼到左侧楼梯的梯口。看来，这女活尸不将她变成和那椅子一样支离破碎是不肯罢休的。

鲁天柳看着越逼越近的女活尸，没有利用尚未完全封住角度的缺口冲出去，反而朝后又退了两步，离那暗藏着恶魔利齿的楼梯口更近了些。女活尸一拐一扭地走过来几步，然后停住。鲁天柳看得出来，女活尸所在位置已经完全封锁了自己逃向右楼梯和戏台的空当。

鲁天柳又退了一小步，这时的她离那个楼梯第一个台阶只有一步左右。女活尸却没有继续逼近，反而开始拨动琵琶琴弦，弹奏起来，弹的是一段古曲《将军围》。鲁天柳听不懂它弹的是什么，但她知道女活尸既然没有继续逼近，肯定是有可以将她逼下楼梯的招法，所以她必须抢先动手。

飞絮帕的链条死死缠住了女活尸的右腿，这是她仅剩的左手飞絮帕，鲁天柳的力气不大，所以她左右手一起用力，将链条猛然一拉，手臂抬举的同时侧身往楼梯下一扬。鲁天柳是以其人之道还治其人之身，想把女活尸拉进自己身后的楼梯坎面。

可是女活尸虽然被拉得腾空而起，却没有被抛下楼梯。鲁天柳感觉有一股巨大的阻力将它牢牢拴住，但她没有马上松手，而是紧紧拉住细钢链，打算将女活尸尽量拉近。

琵琶弦动了，琴音又响了起来。女活尸竟然还能有条不紊地弹奏平湖派的曲子《女儿悲》。这乐曲鲁天柳也听不懂，但她只知道曲调越来越慢，弦音却越来越响。最后成了慢慢拉扯琴弦，声音极其刺耳难听。

鲁天柳赶忙将心神一凝，把口中化秽丸藏在舌底，上下两排玉齿轻轻咬住舌尖。她这是害怕琴音中有什么摄魂乱神的手段浑浊了她三觉的清明。刺耳的琴音响了几节，鲁天柳依旧能非常清晰地辨别出每个音调，她没有松手，只是稍微放平手臂。手臂平置，力量就大了，鲁天柳甚至可以感觉到链条陷入女活尸浮肿脚踝的滞涩感。

琴音更慢了，变成不连贯的单调声响。鲁天柳听到“咦”的一声。

鲁天柳对自己的三觉是相当自信的。这层楼有活人！因为刚才那一声绝对是人发出的声音。可是她又闻不到任何活人的气味……

琵琶琴弦发出的琴音已经变成许久才响一次，这样的声调已经没有任何意义，似乎纯粹为了拉扯松动些什么。是琵琶的琴弦？山口？弦轴？或者根本就不是琵琶上什么部件，而是手上什么东西？

琵琶的别名叫做“批把”，为北方胡人所创。汉代刘熙《释名·释乐器》[1]：“批把本出于胡中，马上所鼓也。推手前曰批，引手却曰把，象其鼓时，因以为名也。”

这琵琶原是骑在马上演奏的乐器，它是从马上使用的器物所悟而创出的。那这器物是什么？对，弓！“批把”二字代表的意思就是推手和引手，而最早的推手和引手却是使用弓箭的术语。并且，弓最初发明的目的是作为武器还是作为乐器来使用，至今也没有人能弄清楚，但是胡人会弹拨弓弦引吭而歌的事情却是毋庸置疑的。

既然弓可以演变为琵琶，那琵琶也一样可以起到弓的作用。鲁天柳还在思考纳闷儿的时候，她听到了一声不同一般的弦音。这弦音里有杀气，有死亡的气息，同时她还闻到一股腥臭污秽的气息夹杂在这死亡的弦音之中。尖锐尾声是奔她的那张粉脸而来的，那是四只黑色箭头，没有箭杆的箭头，由琵琶作弓发出的箭头。

这琵琶比弓厉害多了，弓只有一根弦，每次只能射一支箭，而这把六相二十五品的琵琶有四根琴弦，所以它一次弹出了四支箭头。那就是女活尸的四只尖利指甲，四只黑色的浸渍了尸毒和枯血的指甲。

指甲离着鲁天柳的脸还有这么一点距离，她必须躲，千万不能给这四个小玩意给碰上，因为它们太脏太毒了。

一直死拉住女活尸是没办法躲避的，于是鲁天柳松开了手中的飞絮帕，身子如风中的摆柳，轻轻往右一摇一转，躲过了那四只“箭头”。女活尸落在地上，却没有倒，而是往后滑出去五六步远。

鲁天柳瞅准女活尸退开的空当，一个箭步冲出了角落。

“咔——嗡——”随着这声巨大的响声，二层的楼面腾起一片尘

---

1 汉代刘熙所著，主要是对当时刚出现的一些新奇事物和外域流入的一些东西进行简要的说明讲解。分类很多，但每类中的数量都很少，最少的一类只有两个。此书多被其他著作引用，每朝也都作为官家藏书。至今在海内外博物馆中还能见到各类版本。

雾。这是关五郎“弦拉刀射”的巨大力量震起了长木条楼板间隙中的灰尘，这陈年灰尘的霉晦味道让二层楼弥漫着的石灰粉气味和尸臭变得淡了一些。

已经冲到最后一排窄椅那里的鲁天柳突然又在地面上一个纵身翻滚退了回去，动作比她冲出来还要快许多，因为她发现了五郎“如意三分刃”发出的刃芒。虽然只钻出很小的一片，但她清楚地看见了。这雪亮的一小片刀刃就在女活尸身后一步左右的地方，像是一面镜子的碎片竖在那里。她要抢回缠在女活尸脚踝上的飞絮帕，那是自己的武器，是自己必须控制住的武器。镜片般的刀刃让柳儿发现了些东西，这让她心里已经有了对付女活尸的方法，而现在只有这武器可以将它牵制到那一小片刀刃的前面。

鲁天柳重新抓住了飞絮帕的把儿，回到楼梯口不大的角落。“咦——”这次的人声比刚才更长更清晰，这次鲁天柳不但听到了人的声音，还闻到了人的气息。她还没来得及仔细辨认，女活尸就已经扑了上来，但马上又退了回去。

鲁天柳这次没有和它较劲，她只是牵住手中的链条。女活尸也没有像刚才那样逼得很紧，它站立的位置也不再对鲁天柳形成完全的围逼，而是让出了一个通道，让鲁天柳可以从这里避让到戏台那边。

可戏台那边还有个老男人的枯尸一直都没动，他是在等待什么吗?

鲁天柳没时间考虑太多，她要集中精力对付女活尸，她再次扬起手臂，拉动女活尸，脚下却一个滑步冲向戏台。

女活尸马上脚下用力相抗，前后跨步撑住地面，可是这次鲁天柳没有向楼梯下面挥舞，而是随着她的滑步向戏台那边侧向拉动。

拉动的力量很大，而且是侧向的，女活尸脚下前后方向的力量抵挡不住这样方向的拉力，不由得也侧向滑动起来。两步之后，鲁天柳觉得吃住劲了，拉不动了，这让她心中一喜，轻喝一声吐气发力：“嗨!”

女活尸颓然跪倒在地。另一个暗青色的身影猛然跃起在空中。

鲁天柳一惊，再次松开手中“飞絮帕”，如脱兔一般往一旁闪躲开去……

鲁盛义手中拿着的是卷蜡线。这蜡线是用来在定基时拉基点、判吉相的。鲁盛义在想，既然“定基”时可用蜡线断别团龙、盘蟒之形，那么在这循环洞道之中也该可以找出活缺。于是他把蜡线一头拴在一个太湖石突出的石环上，然后边放蜡线边往黑暗的洞道里走去。

鲁盛义的步法有些跌撞磕碰，这样黑暗的洞道不是一个手艺人能适应的，虽然木提箱里也有照明的物件，却不敢拿出来使用。黑暗中自己已经成了别人猎杀的目标，要是再挂个亮盏子，那跟把脖子往对家刀口上送没什么两样。

这时要是有鲁恩在身边就好啦，至少他会在黑暗中抛石辨路；要是鲁天柳那丫头在就更好了，她有超常的触觉，只要将手伸在前面，就能感知障碍物，据她自己说是气流有了变化，拂动了她的手。

贴着洞壁走出去五步后，鲁盛义将蜡线系了个单环扣。又走出去五步，鲁盛义将蜡线系了个单提酒壶扣，并且将绳扣拴在一块突出的石条上。再走几步，鲁盛义又将蜡线系了个拴马结……鲁盛义会的绳扣有不下百种，他是个严谨的人，这是好工匠必备的技能，所以他曾经将这些绳扣按用途和系绳方法排过顺序编过号。已经系了十三个绳扣了，这表明鲁盛义走出去有六十多步。这时他摸到了自己系绳头的石环，这意味着自己在这洞道里走了一圈。

于是他又迈动步子往前走去，每走两步打一个绳扣，这样的话，他每走十步，打的绳扣就和前面一轮的绳扣重合，在他系到第二十个绳扣的时候，他系到一个重合绳扣。再往前走了两步，他准备系扣时却又摸到了一只绳扣。这就不对了，连续两个重合的绳扣，说明自己走进了一个小回旋，是在第二个圈里绕起来了。

他定了一下神，开始在这个小圈里一步一个绳扣地走动起来。很快，也就十几步的样子，他就又连续系到重合绳扣了。这就快了，已经接近实圈，说不定自己现在已经踏在实圈上。

兴奋并没有冲昏鲁盛义的头脑，他始终保持着极高的警觉，不放过周围的一丝异动。旋道里突然远远传来一声轻轻的“吱呀”声，应该是门枢转动的声音。鲁盛义循声望去，没有见到丝毫亮光，那么这门肯定不是旋道的门，那会是什么门呢？莫非是黑暗中的一扇地狱之门？

发出响声的门只是和旋道连接的暗室门，但这门也和那地狱之门相差无几。门发出声音代表暗室里有了人，谁？不知道，但只要是对家之人，将鼓风之物稍加操作，那么鲁盛义就会再一次坠入人间炼狱，陷入生不如死的境地。

鲁盛义意识到这一点，他的动作变快了，迅速走完这个小圈。现在他摸到的始终是同样的绳扣，他知道自己到了实圈。这种坎面中只要找到实圈，就意味着到了坎面的起点或者终点。在这附近应该可以找到坎面的脱口或者活缺，但需要时间，特别是在这样黑暗的环境里。

暗室里迟迟没有鼓起风来，没有风，那布置得精巧绝伦的“玲珑百窍”就不会发声，炸鬼嚎的扣子就不会动作。这给了鲁盛义机会。

鲁盛义从木提箱中拿出一把小木槌，这个空心的木槌叫回音锤，是“定基”一工中用来判断地层结构和土石硬度的工具。坎子家的高手也可以用这锤子找出暗藏的坎门或者活缺。

回音锤敲击查找的声音有些像庙里和尚敲木鱼，漆黑静谧的旋道里回荡起这般如同驱魔梵音的声响，显得有些森森然。

许久之后，鲁盛义始终没有找到坎门和活缺，他很是失望，心中开始焦躁起来，额头上也沁出粒粒汗珠。

突然，旋道里一声木板碎裂的巨响传来，由于“玲珑百窍”的作用，让他心头猛然一震，血往脑门直涌，蹲在地面的他差点儿就昏厥过去。幸亏只是单调一声，持续的时间不长，否则鲁盛义刚才的努力全都前功尽弃了。

当鲁盛义从震荡、惶恐、惊吓中好不容易恢复过来的时候，一个黑色的身影已经站在了他的面前，直直的、硬硬的，看不见脸，那隐约的身形让人觉得像是地府里勾魂的无常。

那身影在鲁盛义面前站立了好久，鲁盛义也蹲在地上好久，他们都没有动。终于，鲁盛义再也忍受不住这样的对峙，他猛然站起身来，掏出一只“夜行火绒”，手中一扬，变作一朵小火苗。跳动着的小火苗没有多少光亮，但已经足够照亮那张惨白的脸和无神的眼睛。

一个人，一个被炸鬼嚎摄取魂魄的人，一个失去所有思想、如同木头的活死人。

“啊！是你？！”鲁盛义的声音里不仅有惊讶和诧异，还有恍然。

## 荷叶转

鲁恩的步法迅捷而有力，如同山林里的豹子，而且是受了伤也受了惊的豹子。

池塘到过廊的距离并不远，也就是三四十步的距离。可是就在这么短的路程里，老江湖的鲁恩迷路了，他看得到过廊，却走不过去，他看得清小楼，却无法靠近。因为他的面前总有花圃、树丛、荆棘墙等物什挡道。这些障碍其实算不了什么，不管从它们的高度还是宽度，鲁恩都可以一跃而过。但是在这里，这是万万不能做的事情，哪怕面前就是两只花盆挡道，也只能绕不能跨。无路就是死路，这是坎子行公认的原则。

绕走了好多个来回，鲁恩感觉如同走了十多里的路，可是他依旧是远远地看着过廊和小楼，没有能往前接近一点点。园子中布置草木花石都像在不断变化、移位，所以虽然就几样东西，却让鲁恩有繁杂纷扰的错觉。

对家有一绝妙坎面叫“咫尺千里路”，与鲁家的“大石龙形绕”有异曲同工之妙，都是用北斗七星连头尾二担星，再暗合斗转星移之法布置的，这样的布置只需用简单的几件物什就可以让人无法脱出。

难不成这就是“咫尺千里路”？两处灌丛，两片花圃，一块太湖石，一个荷叶缸，一道荆棘墙，正合北斗七星数。可是那头尾两处二担星的六颗星位又在哪里呢？找不到这六处星位就只能在这坎面的正中打转，连个坎边也无法摸到。

如果是按坎子行中较量技艺的规矩，慢慢地找弦解坎或是寻缺儿脱出，没有一两天的工夫是成不了事的。可鲁恩需要的是短时间中快速破出，只有一招可行，那就是冒险砸空儿，强破一把。

作出这样的决定是需要决心和信心的，找空儿虽然比找缺儿、弦儿容易，可砸空儿却是危险的。坎面中的空儿与缺儿和弦儿的区别很大，它其实是坎面的一个重要组成部分，是坎面扣子出扣点的边隙，也是坎面动作时的转换处。其实就是坎面扣子伤害威力较小的部位。砸空儿是坎子家被困后实在没法子才使的招儿，算是坎子行中脱出坎面最低下的手法。

可不是所有坎面的空儿都是那么好找的，鲁家的“大石龙形绕”就很难找到空儿，因为这样的坎面是困坎，困坎中坎就是扣、扣就是坎，找不到出扣点的边隙。那么与“大石龙形绕”有异曲同工之妙的“咫尺千里路”肯定也是很难摸到空儿的。

鲁恩虽然在鲁家多年，却也找不到“咫尺千里路”的空儿，但他觉得“咫尺千里路”与“无影三重杀”的相接处应该是一个空儿，可这会儿怎么都找不到回去的路了。

只要是招儿，就肯定有漏洞；只要是人儿，就肯定有弱点；只要是坎儿，就必定有不足。这是鲁恩信奉的真理。所以他再次加快步伐多绕几个来回，必定会有所发现。

急促奔走的鲁恩突然发现了一些什么，但是一阵难以抑制的眩晕让他不由地踉跄起来，身体止不住地摇晃。他连忙用左手的刀撑在地上，试图稳住身体。但已经来不及了。

他重重地摔倒在地上，身体像一根被砍倒的木桩往前滚去。砍刀深深插在地上，乌青色的光滑刀身颤悠悠地晃动着，像一泓秋水起伏波动。这也难怪，鲁恩被短矛洞穿的肩膀血流得太多，坎面儿里的疾走和寻找又消耗许多体力，多种复杂的情况汇集在一起，让他一口气没回顺，痰顿时堵了心窍，晕跌在地。

小楼前挑出水面的石头平台上幽灵般飘然出现了一个女人，一个戴着银白色狸子面具的女人。厚厚的彩锦帛衣包裹了整个身体，却依旧可以隐约看出身材的曲妙。她一动不动站在石台之上，就如同一尊彩塑。

这女人之所以出现在石台上，是因为她原先藏身的位置突然间看不到陷在坎面中的鲁恩，可是等她站在平台上后，依然看不到。

荆棘墙、太湖石、荷叶缸，这三样东西正好从三面将鲁恩的身形挡住，唯一的一面虽然只是矮矮的一片花圃，但是要想看到他，就必须站在往过廊去的花荫小道上。这位置是入坎的诱道，坎子家是不会在这里布置控制坎面的竿子的。

鲁恩晕倒之后一直没有起来，戴银色狸子面具的女人也一直没有动弹。园子里死寂一片，只有小北风拨动树上枯叶发出一点声响，只有风推动池水荡起一点涟漪。

好久好久，戴银色面具的女人终于缓缓地抬起了她的左手，这个举动是个命令，不容置疑的命令。

一个修长的黑色身影从过廊端头的花圃石栏下钻出来，像风一样快速轻盈地飘向花荫小道，一个转折绕过树丛，再斜跨几大步到了荷叶缸的另一侧。

这个注满水的荷叶缸不单是大，而且也挺高的。他必须踮起脚尖才能越过满缸的枯死荷叶看到鲁恩的一双脚。于是他回头递给石头平台上的那个女人一个请示的眼色。女人面无表情，只是肯定地点了点头。

荷叶缸开始平滑地转动起来，无声而缓慢，就像池塘水面上轻轻滑过的树叶。

“慢！要不得！”这是一个女人的高声呵斥，尖利的嗓音中稍带些甜腻。声音是从池塘的另一侧传来的。

这声“慢！”已经的确慢了一步，虽然平台上的那个女人急忙做手势让停下来，虽然那修长的黑影也竭力在阻止荷叶缸继续转动，但这一切真的是慢了。荷叶缸依旧在顽强地转动着。不是机括失灵了，而是因为缸的另一面有个更加强大的力量在推动。

一只左手，一只刀客的左手。这样的手虽然平常不持刀，但它作为刀的辅助，会给敌人更加直接的打击，这就要求它具备对手难以承受的强劲力量。但如果只是这样一只左手，它转动荷叶缸的力量依旧无法和对面那个黑影一双手的力量抗衡。原因是这荷叶缸属于“单廻迷目扣”，它的转动变化是单向、有序的。所以单廻扣的旋转装置，朝着设定方向可以轻松让它动起来，而已经转动起来再想要让它停下，就需要几倍的力量，除非已经转到下一个坎相。一双手的力量超过一只左手，一只左手的力量加上机括的运转力量却远远超过一双手。

那黑影的一双手死死地抓住缸沿，可是脚下却是不由自主地跟着朝前滑动。他知道自己这时是止不住那转动的，这样只是做个尽力的样子给那两个女人看而已，但他心中却是知道在下一个坎相处，机括一入卡窍就要给定住，千万不能让它再继续转向再下一个坎相了。

鲁恩在“咫尺千里路”中的奔走和查寻并没有让他找到回去的路径，却让他发现了坎面的一个不足，一个可利用的严重不足。

唐天象名家袁天罡所著《天宿星说》[1]有记载：“北斗七星，第一天枢，第二天璇，第三天玑，第四天权，第五玉衡，第六开阳，第七瑶光。七星成形斗柄，斗柄可变。”

1 据说是袁天罡所著，因为此书出在唐朝盛世，而且是官家发抄录。当时精通天文的除了袁天罡再没其他顶尖的人物，而且当时能让官家发抄录的也只有皇帝器重的袁天罡。但也有人说此书是当时西域游商卜盛德所著，卜盛德曾有段时间协助袁天罡查看天象，官至勘天尹。所以也有可能卜盛德的成果被袁天罡盗名了。

宋卢代显《天地象合道论》[1]有：“七星斗柄东，天下春；斗柄南，天下夏；斗柄西，天下秋；斗柄北，天下冬。袁公言变，为向变而非柄斗形变。”

这些古人理论中所说七星斗柄之变只在方向上，可是将其合入坎面中就绝不会那么简单，在这里可以将所有不可能变成可能。

“咫尺千里路”就是如此，其中有两处可以进行调节的扣子结：天玑位的荷叶缸和玉衡位的太湖石。这坎面中花圃、树丛、荆棘墙都是种植，无法动作运转，只有荷叶缸和太湖石是摆置的，可以作为坎面的弦子机括来动作运转。这是个简单的道理，坎子家都该看得出来，鲁恩当然也看出来了。坎面以这两处为活结，那么七星斗柄不但有方向的变化，而且还有星位和柄形的变化。

幸亏是他发现了坎面的一个不足，就是有个地方是对家视线的破面儿[2]，而且这个破面儿正好是在可运转的天玑位荷叶缸和玉衡位太湖石以及天权位荆棘墙的合围之处。

于是鲁恩再出流氓招数，他假装眩晕了，跌倒了，摔到荷叶缸和荆棘墙间的下角落里。他并不能保证对家会失去耐心，可这是唯一的办法，他必须去做。

那个修长黑影走出来了，并按着坎面的路径走到荷叶缸的地方。这一切他鲁恩都看得清清楚楚，是因为有他倒下时插在地面上的砍刀，而那乌青雪亮的刀刃就像一面镜子。

从那身影走的路径他辨别出二担星中弟担星布位，小楼和过廊是两只棉花担的星位，那身影钻出的花圃正是挑担的“弟弟”。

知道了弟担星的位置，只要再找到哥担星的布位，就可以结合七星

1 作者宋朝卢代显，精通天文地理，一代名士。后看破红尘喧嚣隐居山林。此书是将天文地理的各种现象综合起来进行分析，科学性很强。宋版残本至今仍有存世。

2 监控视线不能涉及的位置。

位找扣点、找窍口、再辨空儿、砸空儿。那时就算坎面会不断变化，仍旧有规律可循。

矫健的黑色身影此时突然跑过来转动荷叶缸。鲁恩再回头看了看没有动作的太湖石，他明白了，彻底明白了。首先自己没有必要再去找那个二担星中的哥担星布局了。因为根本没有哥担星，哥担星就是弟担星，弟担星就是哥担星。这是个叠折布设，其中的坎点就在荷叶缸和太湖石上。如果不是对家要人为推动荷叶缸改变坎相，这荷叶缸和太湖石应该是同时动作的。这叫“天玑、玉衡调位，斗柄互换倒挂”，也就是说北斗七星的斗可以变成柄，柄可以变成斗，然后在一头连叠折后合在一起的二担星布局。随着斗柄的变化，二担星也可以哥哥弟弟互换，石头担、棉花担更是在不知不觉中瞬间予以调整。

对家坎面上有不足，人为上又犯了极大错误。他们不该那么好奇，那么没耐心，更不该随意动作扣子，这些都是没有江湖经验的表现。而在已经转动荷叶缸后，也不该与鲁恩对抗，太湖石与荷叶缸两只扣子结只动了一个，而且只变了一个坎相，这变化会让坎面出现个窍口。而如果索性突然顺方向加力，与机括和鲁恩一道用力，让荷叶缸快速滑进，直接进入第三个坎相。此时整个坎相布置就全搞乱了，局面会让鲁恩更没有机会出来。这也是对家没有实际经验导致的失误。

江湖之中，一个小小的错误就可能演变成永远的失败，更何况一连出现了多个重要的错误。

当时荷叶缸只要再转动个三十度角就进入第二个坎相了，徒劳用力的修长黑影此时出现在了扣子的窍口上。刀，乌青色的厚背砍刀依旧扎在地面上晃悠，鲁恩的左脚很轻巧地在刀的护挡上一挑，森寒的光芒从地上跃起，角度和方向很好，是直奔鲁恩的左手而去的。对手真的是太大意了，这样一道满含杀气的寒光从自己面前飞过都没能发觉到，只是脸面向天，身体后仰，用力拖住缸沿。鲁恩松开抓住缸沿的那只左手，刀如同自己跳入他的掌中。

刀是锋利的，刀尖刺入身体是轻松的，刺的人感觉轻松，被刺的人也轻松。就快失去生命的人一瞬间悟到了自己所有的失误。于是，在那刀又轻松地从他身体里滑出后，他短暂凝视了下胸前涌出无数血红泡沫的口子，就轻松地合上了眼皮。

“封破，绝趟，灭闪！”这是个有些疯狂的声音说出的话。声音远远的，但这园子里的每个人都听得很清楚。鲁恩听出来，是后来的那个女人，因为她疯狂的声音里始终有些甜腻的尾音。可这话是什么意思鲁恩却不懂，因为这是对家独有的切口暗语。

封破：将坎面的漏洞迅速恢复。绝趟：把路断了，决不能让他继续前行。灭闪：要了他的命。园子中听懂暗语的人马上动作起来，他们都知道这样的命令必须拼命去完成，要不然自己会付出比失去生命更高的代价。

鲁恩的一只左手很轻松地将荷叶缸转到第二个坎相的卡口。他左手持刀从倒在窍口上的死尸身上跨过。可是刚刚跨过，就发现面前十步左右站了两个人。根本无法知道这两人是从什么地方钻出来的。他们两个姿势一模一样，很是怪异，都是斜斜地站着，两只手臂一只斜指朝上，另一只往斜下方倒拖。手中没有武器，只是一身厚厚的黑衣将身体裹得紧紧的。

他们不需要武器，他们本身就是武器。鲁恩这闯过无数血腥战场的铁血刀客在他们身上不止感觉出杀气，还感觉出锋利的刃气。

没有摆任何的起势，也没有任何征兆，鲁恩挥刀直杀过去。

是因为他发现背后有人在转动太湖石，这意味着有人要从坎面的另一端开窍口过来夹击自己。所以他必须抓紧时间速战速决，先解决掉挡路的然后冲过去，也是因为鲁恩的攻击根本不需要起势和准备，自从当了铁血刀客，他就完全放弃了那些花架式，以最直接的杀法夺敌性命。

如此突然又直接的攻击让对手很是吃惊，而让他们更为吃惊的是鲁恩距离他们还有好几步就已经挥刀斜劈，这样的斜劈只能劈中空气，没有任何意义。

但这一刀下来，竟然砍开了其中一人的半边脖子，喷洒出的鲜血像一个张开的巨大折扇，在捕捉残冬里的无数落叶。

鲁恩的刀劈了出去，并且是脱离手的掌握，飞劈出去。

这一招不是什么技击绝招，而是鲁家“六合”之工中的招式。“固梁”中有一手飞斧的技艺，不受工法所限，只要是鲁家门人都可以学。因为鲁家六工中杀敌制胜的招法太少，这一招多少也可以算是个攻杀的招式。

传说有一年在鲁班家乡滕州城，班门弟子承建皇家工程文庙大成殿，竣工验收时，总监工发现殿的东北角有根檐椽长出来半寸。尽管这是小小的差错，却有着杀头的危险！就在大家没法子的时候，从人群中走出一位白胡子老头，只见他抡起右臂，“嗖”的一声将斧子扔了上去，不偏不斜，正中檐边，刚好把那多余的半寸檐头削了下来。人们都被老人的举动惊呆了，等回过神再找那老者，却早已无影无踪了。班门弟子猜想有此神功，必是祖师爷显灵，来帮后代消灾去祸，也是向后代传授技艺。于是，这手飞斧绝活便归在了“固梁”一工。

鲁恩其实对“六合”之力中的工法兴趣不大，这也难怪，要一个半辈子挥刀弄棒的人重新学习工匠手艺，一是兴趣淡了，再则接受能力也退了。所以他对“固梁”一工的技法学得很含糊。唯独这飞斧一技，他觉得应该算是技击杀法，狠下了苦工。而且还把飞斧技法引申到刀法上，到后来，他飞刀砍削的技法更胜过了飞斧。

话说回来，鲁恩挥刀打斗中突然将刀飞砍而出，这和他绳扣锁的技法一样，都带些市井无赖味道，是正宗武林人物所不齿的，但他虽然武功高强，却只是个侍卫、兵卒，还算不上是真正的武林人。所以在他的意识里，所练的技击方法只要是能杀敌保命就是真正的高招。

这园子中有真正的武林人物，而且不止一个，比方说面前这两个浑身上下都透出杀气和刃气的黑衣人，他们不止是武林人物，而且还应该算是高手。但高手可能也从未想过会有这种形式的高招，所以其中一个只能莫名其妙地饮刀洒血、命殒当场。

那里还剩一个摆好怪异姿势的黑衣人，他的神情里不但有吃惊，更有恐惧、茫然、畏缩，但所有这一切，都不可能促使他像平常人那样，作出避让逃遁的举动来。他现在唯一能做的就是提调所有心力和气力，一扑而上。攻势快得如同黑色闪电，身形猛得如同一把锋利的刀，招法是急速快攻，犹如暴雨倾盆，这一切说明黑衣人是聪明的，他无法知晓鲁恩还有没有其他出人意料的怪异招式，所以他最好的对策是让手中已经无刀的鲁恩再没有任何出手的机会……

## 邪雨下

陆先生喘着气，如同飞蛾，扑向那燃烧的灯火；女人如同添柴的厨妇，小心地将陆先生填到炉火之中。飞蛾的翅膀着了，入炉的薪柴着了，但是烧着翅膀的飞蛾却重新扑出了灯火，燃着的薪柴也掉出了火炉。于是飞蛾引燃了灯笼，薪柴烫伤了厨妇。

陆先生从藤条箱中拔出的手湿漉漉的，有鲜血，更有易燃的黄泉，特别是他棉袄的袖子，吸足了黄泉。这女人是替代女主子的傀儡，所以先前她没有看到陆先生用黄泉放火烧厅。要不然她是绝不会让这样一只手搭在自己的手臂上的。于是，吸足的黄泉也浸湿了女人宽大而厚实的袍袖。

陆先生喘得很厉害，病恹恹地，这让人根本不会料到他的左手会如此迅疾刚劲。

他在将自己投身到火墙之中时，是那么迫切地将整个身体往前跃出，女人的手不能再死死抓住陆先生左手腕了，这样会将她一起带入火焰之中。所以女人的手才松了一点，就这么一点立刻让女人发现不对劲了，因为她还未完全松开的手掌瞬间全没了知觉。

陆先生左手的拇指不知什么时候跷起，女人手掌一松，他手腕往外一拔，拇指的指尖便划过了女人的脉门。女人的手没了知觉，彻底放松了。可是她放开了手，陆先生却不愿意放开，左手柔弱的五指瞬间变得如同钢条，紧紧勾住女人的手指头，就像情人间山盟海誓地拉钩。

女人的手掌虽然没了知觉，手臂却是依旧有力的，她脚下一撑，手臂一拖，拖得很紧很死，就像拖住要远走的情人不让出门。这一拖女人止住了陆先生继续扑进火墙的势头，否则她自己也会被带到火墙之中。

陆先生的身体虽然扑不进火墙，可是他的右手却已经够到了火焰。于是从中引来了一朵碗大的火花，随手递给了温柔的女人。

温柔的女人有柔软的腰，仰上身躲过了这朵热烈艳丽的火焰。她不止是要仰起上身，她同时还后滑脚步。陆先生的热情让她承受不了，那只仿佛柔弱的手竟然能带来这般强烈的刺激。

女人所做的一切快捷、准确，可是有一样，她的右手依旧和陆先生的左手紧紧相牵。所以她的后滑步将陆先生一起带动滑出，远离了那熊熊的火墙。女人的右手失去知觉只是在瞬间，很快，她就意识到必须解脱开陆先生右手的勾拉，和一个陌生男人之间拉拉扯扯对于女人来说是危险的事情。女人的动作和她思维几乎是同时作出反应。刚刚才有解脱的想法，右手手指即刻变得柔如水，滑如油。这世上再有力的手指都是无法将水勾住、将油抓起的，陆先生也一样，于是女人的手溜出了陆先生的掌握。

对于女人，陆先生是永不言弃的，女人的手掌虽然溜出，他还是迫切地追上，奉送上自己采摘来的“花朵”。女人总是矜持的，袍袖一挡，欲受还休。于是“花朵”落在了袍袖上，被黄泉浸湿的宽大袍袖。

从女人将陆先生扶起的那一刻起，两人的姿势就像是一段国标舞，缠绵中不乏热烈，但这优美舞蹈只持续了这么一会儿，女人就高调地退场了。

献上的火花虽然只有碗口大小，可是这火花一到女人的那里就立刻繁殖了、发育了、膨胀了。女人不知是由于太激动还是其他什么原因，反正她真的很高调，那是一种见到鬼一样的高声调。在这高亢刺耳的声调中，温柔的女人变成了一朵热烈的花，带着光明和灿烂，冲出了轿厅的里门，飞驰而去。

陆先生的手掌中仍然托着那么一朵火花在把玩，他能如此平静地面对如此热烈的花朵，是因为刚才在藤条箱里将手掌和衣袖浸足黄泉之前，他还做了一件事，在手掌和衣袖上黏附了“玉矾粉”。

“玉矾粉”是天师法中“火指透冰魂”、“火掌驱阴寒”所必须使用的物件，它有隔热阻燃的神奇功效，先将其黏附在肌肤或其他物件之上，然后再裹浸上易燃的火油、磷粉之类物品并点燃，虽然火势烈烈，却不会烧伤肌肤和物件。《百代奇说》[1]里有个传奇故事叫“焚棺现阴书”，那阴书就是因为裹覆了“玉矾粉”才没被烧坏。

陆先生甩手灭了掌中的火焰，这一刻他忽然有了些感慨，自己忠厚老实一辈子，今天才知道为什么宵小难止，原来以诈制人竟是这般轻松。此刻，浑身是伤的陆先生忽然变得无比自信起来，他告诉自己，闯得进去，肯定闯得进去，这好人要学坏学奸还不容易吗，我这一趟要让里面的那些人知道，只要需要，我能比他们更奸诈。

轿厅再往里是宽大的正厅天井。一般来说，江南宅子的天井都是高深面小的四水归一结构，这是为了尽量利用有限的土地多建房屋，同时因为这里不像北方，不要求太多光照，这里的房屋需要的是尽量架高，以便通风防潮。所以站在这种院子中望天，如在井中，这也就是为什么管它叫天井的原因。

但此处天井给陆先生的感觉却有些异样，因为它很大，面积有一般人家正厅天井的几倍，从这方面看它更具北方风格。但它依旧给人高深的感觉，那是因为不仅轿厅和两层的楼厅很高，两面的花墙也非常的高，墙头是凸起的青瓦脊顶。最重要的是轿厅、正堂楼厅以及两面花墙

---

1 清末民初非常盛行，讲述的是古代十数朝发生的各种奇异事件。有的已被后人解释，也有的始终是个谜。作者不详，有说是江苏常熟人翁润田所著，有说是《聊斋志异》作者蒲松龄早期收集的资料。此书因为太过诡异，而且其中有许多行凶害人的法子，解放初就被列为禁书。

都有很长很长的檐额飞挑而出，并且四面檐额交搁在一起，将面积很大的天井遮掩去好大一部分。

陆先生是摔进天井里的，并且摔倒后还连滚两滚。这样的滚动并不是因为摔出的力量太大，而是可以顺势滚到檐额遮掩下的阴影边缘。天井中没有被阴影遮盖的部分是一个平行的四边形，这是因为冬天白昼短，现在是下午，虽然还不算晚，但那光线就已经斜斜照下。

陆先生趴倒在地上没有能起来，而是重重咳几下，然后狠狠地吐出一口带血浓痰。吐得倒也巧，正好在对面平行边的“六分秤点”上面。然后他又继续咳出三口血痰，每一口也都各吐在另三条边的“六分秤点”上面。

“六分秤点”是古代建筑中采用的分割点，其道理相当于我们现在所说的黄金分割点。陆先生的这种举动是有用意的，他这是在寻找天井里的“风水眼”。

这种说法是陆先生的习惯，他认为的“风水眼”就是坎子行中所谓的缺儿。陆先生虽然到鲁家之后学了“布吉”一工，但他从没认为自己的本事不行，所以他不是将自己的风水术用于“布吉”一工，而是将“布吉”一工的优点和特点补充到自己的风水术中。

其实陆先生所会的风水术是唐代杨筠松所创的峦头派，也有叫江西派或赣派的，这门派还有众多分支，如形势派、形法派、切金断玉派。它在元代以前是风水门派里的领袖。由于元代时风水学的败落，峦头派也几乎销声匿迹。到了明清时候，风水重又兴起，但峦头派始终没有再像元代以前那么辉煌。因为它的风水理论与其他诸多风水门派相比显得非常高深，不易为世人所理解。还有明清开始出现了好多无真才实学单以巧舌诡辩欺骗世人的风水派别，这就让只有枯燥理论的峦头派更无立足之地了。

唐代杨筠松留下的学术著作有许多，像《撼龙经》[1]、《撼龙十二问》[2]、《青囊妙诀》[3]、《金玉得法》[4]、《天心经》[5]等等。陆先生对风水之学是极有天赋的，峦头派的高深理论他不但读得懂，而且还读得很透。初学之时他就选中了其中最为偏门的《金玉得法》来研究，这是属于峦头派分支切金断玉派的风水方术。

“切金断玉”，是要有很广的学识范围才可以操作的。因为其所持理论纲意认为天下不分吉地凶地，只分有厄、无厄。地都是吉地，凶相是因为有厄破之形和晦恶之物，从而破了应有的吉相。只要将这地块合理分割，或从构筑方向、地势上进行调整，就能让它躲开凶险，恢复吉地功效，其次还可以去除恶破或有相应物件镇住厄破。就是为了能应付厄破，陆先生这才上龙虎山学天师法的。

“切金断玉”这种方术虽然精妙高深，但早就不为别人所知，更为世人难以理解，所以没有人会相信什么地方都是好地的这种说法，更不相信按他的摆布可以将凶地变作吉地。再加上陆先生又不是巧舌如簧蒙骗诳拐之徒，什么都据实而言，好多说法都让别人家忌讳生厌，所以学成之后浪迹市井多少年，这手绝技就没真正派上过用场。

陆先生分划的“六分秤点”可用来判断不规则狭长地带风水眼之所在，在“切金断玉”中叫“举重若轻一杆秤”技法。研习“布吉”一工之后，陆先生融会贯通，以分划“六分秤点”来判断坎面的缺儿和中

---

1、2、3　全为唐代堪舆祖师杨筠松所著。这几部著作都是讲解的堪舆之法，属于峦头派。这三本著作一直流传至今。特别是其中的《撼龙经》和《青囊妙诀》，是为堪舆学中的代表之作。《青囊妙诀》又名《青囊奥语》。

4、5　堪舆学中切金断玉派的经典著作，切金断玉派为峦头派旁支，开始不为世人所知。所以当这两部著作真正为世人知晓和认可时，已经无法考证其具体为何人所著。有一种说法《天心经》也是杨筠松所著，但后人从内容表达以及理论依据上查证，觉得《天心经》与杨筠松其他著作理论相去甚远，因此这种说法很值得怀疑。还有就是这两部著作的理论极其晦涩，很少有人能读懂，所以现在存世的内容只有最初的三分之一不到。

心。坎面布置不会是对称规则的，为防止长时间不动作后僵住，所以在最初设计布置坎子的支点时都是稍有偏移或者倾斜的，但过度偏移和倾斜又会导致误动，因此最合适的位置就是在“六分秤点”上。

陆先生是个喜欢动脑的人，他发现两面围的前后坎和左右坎可以用“六分秤点”加连线找到坎子两边的“僵面”（面形坎子中，因承力需要，会有很小的局部不动作）。而四面合围的坎面就又有不同，它需要先点连“秤点”，然后在新的连线上再点连“秤点”，直到画出一个与原来坎面方向角度基本一致的缩小形状，即是四面坎的“僵面”。四面坎“僵面”的原理是陆先生从无梁殿的结构特征上悟出来的，殿顶最后留下的承力六角空隙就是“僵面”。

坎子中的“僵面”最怕是虚的，就拿眼前这“四水归一”来说吧，它的坎面儿边沿不是那些长长伸出的屋檐，而是屋檐的影子。这影子一天中还会随着时间的推移而变化，“僵面”就也随之而变化。如果是夜间无月，找不到“僵面”就更麻烦。这种虚形坎其实是对家最近几代中新创出来的，所以他们才选择下午闯入。

陆先生只吐了几口痰就止住了，因为他不需要继续吐下去，从这几个点他就可以瞧出最后的“僵面”。他也不能继续吐下去了，他感到咽喉处发堵发硬，是那种有痰吐不出的感觉，而且痰中的血迹也让他很是惊讶：自己没有受内伤，这痰中血迹是哪里来的？

与人交手，你可以装疯卖傻迷惑对手。可是在坎面之中，那些机括弦子不会被你迷惑，它们该动的时候肯定会动，不会犹豫更不会留情。

江南建筑中前院天井所谓的“四水归一”，那水指的不是海水，不是江水，不是河水，而是雨水。四方雨水都往天井中流下聚拢，寓意着财富都往自己家里流。

就在陆先生还在为痰中血迹疑讶之时，虚影的坎面在不察觉中移动了。这就是随时间推移而变化的结果，陆先生本应掩在檐额阴影下的头部露出一点点在坎面的光线下。

于是下雨了，雨不密，只有两滴，从屋檐上滚落下来，就像是熟透的无锡水蜜桃，就像是剥了皮的滑嫩鸡蛋，饱含水分，晶莹丰满。

陆先生趴在地上，这两滴雨珠滴向陆先生的后背心和后腰脊椎处。

陆先生是趴着露了一点头，如果是站立着露出这么一点的话。那么这两滴雨珠的掉落点正好是他的面门和天灵盖后部。雨珠本是滋润之物，可这雨珠却碰不得，碰到了，就没命了。

两滴雨珠没有落到陆先生身上，他滚爬着躲过那雨珠。这雨珠落地后并未湿成一片水渍，而依旧是一个抖晃透明的圆球在地面上蹦跳、滚动，就像是活的一般，并顺着不易察觉的坡度朝着各自的方向滚过去。陆先生知道这是在往回道中流，它们可以通过暗藏的回道重新布置到坎位之上。

滚爬着躲避缺少方向感，陆先生虽然躲过两颗雨珠，身体却没能躲进阴影，反倒是朝着坎面的中心稍稍进了一点，暴露在坎面中的身体更多了。又是三滴雨珠落下，掉落的目标依旧是陆先生。陆先生再次滚动躲避过去，他受伤的身体在院子里青石条铺成的地面上留下了大片大片的血迹。

雨滴越落越密，陆先生反倒不再躲避了，他滚翻了几下之后便盘腿坐在了坎面的中间。这个位置很奇怪，竟然所有的雨珠都不会向这个地方落下。

陆先生现在真的很得意。这种坎面的布置图他只看过一次，自己只是采用了一点风水堪舆技法中的小伎俩，就轻易找到了坎面的缺儿，这叫他怎么能不得意呀？

雨滴变得稀落了，因为这四面的檐额是藏不了多少雨水的。陆先生坐在坎面中间很轻松，他甚至有闲暇查看了一下咬合在身上的“搔白首”，看有没有可能摘下来。那东摸西看的样子就像是闲坐街头晒太阳捉虱子的破烂乞丐。

雨下得差不多了，陆先生知道自己必须抓紧时间趁这些雨珠没有完全回复到坎位冲出这道坎面。如果等这些雨珠从暗藏回道重布到坎位，自己要冲出去就要费一番大周折了。

陆先生样子虽然像是个乞丐那样闲暇，其实心神一直都关注着雨珠落下的情况。眼见着不再有雨落下，他突然腾身而起，两个纵步往右边的侧门冲去。谁都不可能想到一个浑身浴血、处处是伤的老人会在瞬间变得如此迅捷。

陆先生喘着粗气，他心里非常清楚，自己眼下就凭着这口气给撑着，要是当年没学这大换气法，这把老骨头一准早就散了。气息在口、喉、肺、腹间运转一个来回，身子就已经纵出七八步远。

这道坎子轻松地就过了，让陆先生既得意又意外，同时也让他更坚信自己决策的英明。坎子家本身就是尔虞我诈，在这种环境中的拼斗绝不能太厚道，只有要奸弄诈才能生存。一定不能让对家摸清自己的想法和计划，更不能将自己真实的一面过早暴露在对家眼中。

陆先生没有冲到侧门的门口，就一步一步退了回来，脚步虽然不是十分沉重，心中却很明显压上了一块巨石。

坎面确实没有陆先生想象的那么简单，他在侧门的门口看到了一大片怪异的东西，那就像是一大块水晶，一大块寒冰。掉落的雨滴没有全部回到暗藏的回道中，而是在这侧门的门口堆积排列了一大片。这些鸡蛋大小的雨滴聚拢着，就像晶莹透亮的白色蜂巢，不时有白色反光在闪跳抖动。

陆先生的心里没有了光亮，他的一点心火突然间变得如此的黯淡。他不知道那雨滴是什么，但他知道那些白光闪跳抖动不是因为反光，而是确确实实在动，一边动一边发出暗白的光。

不知道的才是可怕的，计划被对手预料到也是可怕的。陆先生现在就是处在这样一个可怕的境地里。他的计划没能实现，坎面的布置有了改动，和自己原先见识到的不一样了，“四水归一”竟然没有归去。那雨滴好像也不是那么一回事了，本来那雨滴应该是剧毒的南海“百层透晶软胶”，可“百层透晶软胶”是不会自己闪光和抖动的。对家早就意识到闯“四水归一”的人会借隙直冲向侧面院门，所以他们在这里布置这么一地的雨珠。

莫名其妙地起风了，风很大，吹得正厅紧闭的花格门咣咣直摇，吹得轿厅天井侧的大门吱呀着慢慢阖上，右边院墙上的扇形侧门却纹丝不动，依旧大开着，因为它不需要关闭，它的前面已经有一扇门关上了。

透明的雨珠瞬间变得如此的轻盈，在这阵大风的吹拂下飘了起来，而且没有散，依旧是连在一起的一大片，晃晃悠悠地，像一大块水晶帘子，将那侧门整个包挡住。

陆先生在这强劲的风中有些立足不稳，风带起的落叶枯草让他有些晕头转向。不止是落叶枯草，还有些若隐若现的奇怪东西夹杂其中。

更为奇怪的是，檐额下面泄水槽道里也有一颗接一颗的雨珠飞起，随后被风卷入那些飞舞的杂物之中。

江南好啊，什么都是那么明媚细腻，就连那风雨天也给人斜风细雨不须归的惬意感觉。而今天，本不是刮风下雨天，偏偏在这样一个精致园子的天井里，却是怪风狂卷，雨珠横飞，完全不是明秀江南的样子。

“不须归，真的不须归。”陆先生虽然不知道那些雨珠会给他带来什么样的后果，但他能预想到一种，“四水归一”最终是要归于地下的。何处黄土不埋人，埋入土下不须归。“看来今天是要把这地方做了我的葬身之处了。”

陆先生将一双被风尘和血渍模糊的眼睛使劲擦了擦，然后从藤条箱中抓出一把长竹签，这是摆“天师请仙阵”时用的工具，此时拿出这些也不知能派上什么用处，只是想两只手都有武器在握。

右手提举起死封铃，左手持一把细尖的长竹签，陆先生坚定了不须归的决心，奔那在风中飘荡的“水晶帘子”直扑过去。

“快停下！会死的！”一声脆亮的娇叱响起……

## 遣枯尸

暗青色的影子扑过来应该算是十分突然的，而且鲁天柳始终保持清明的听觉竟然没听出来这身影的移动，但是她闻到一股浑浊之气从身后裹缠过来；脖颈处的肌肤感觉到气流的冲撞和变化，最重要的是她刚才听到两声轻微的人声。这里肯定有人在，她知道自己听觉和嗅觉都不会欺骗她，两种不同的发现只能说明东西确实存在。于是她在将女活尸拉倒后，就忙不迭地丢掉飞絮帕的链把纵身而出。果然如她所料，女活尸的扣子一松，其他扣子瞬间即至。

青色的影子真就像是鲁天柳的影子一般，紧追在鲁天柳身后。虽然只走了短短几步路，鲁天柳连用了不下六种方法试图摆脱他，却都没有成功。而且那影子的步法几乎和鲁天柳一样，鲁天柳在哪张桌椅上点步纵跃，他也同样在哪张桌椅上点步纵跃，速度却比鲁天柳更快。

鲁天柳怀疑自己耳朵出了什么毛病。怎么背后这影子连一点声息都没有？就算是个尸首，动作中也该有些衣角带风、脚下点踏的声音呀。

影子的动作与女活尸的有所不同，女活尸虽然也很快捷，但动作是怪异的，步法是沉重的，所以关五郎在楼下“听隙”能一下子就找到活尸的位置。而这青色的影子的跳跃步法间确实不会发出一点声音，就连身上的衣襟都不动一动。此时不单是“听隙”听不出来他移动的速度和方位，就连近在咫尺的鲁天柳都无法听出来。当然，此时回头看那影子如何动作再采取相应对策是绝不可能的，鲁天柳唯一能做的就是凭着肌肤对气流变化的感觉，下意识地奔逃。不过奔逃中她看到戏台上那老头枯尸不见了，所以虽然没机会回头看，还是估猜出背后的暗青影子是那尸首。

不断纵高跃低躲避追击的鲁天柳速度上根本不是后面影子的对手，但她占了个小便宜，后面那影子似乎是一定要按鲁天柳的步法追上她才算，而且还不愿意碰动这戏堂里的一切东西。所以鲁天柳只要感觉自己背后气息迫近。马上就在脚下拨动桌椅，或者从大桌的底下滑滚而过。工匠家的女儿是不会在乎灰尘脏污的，再加上她本就是学的“辟尘”一工，就是和灰尘脏污打交道。背后的影子肯定不会这样做，哪怕他的身上再污秽再龌龊，他都不会做这样的动作，因为他是高手，有身份有档次的高手。

鲁天柳知道这种追逐时间一长，自己就更没有机会逃脱了，必须尽快想办法摆脱他。影子离她更近了，她深吸一口气准备继续换几个步法，再次拉开与影子的距离，她想试试能不能找机会看清背后这影子，找到点他的破绽，或者找个机会先逃到楼下再说。

可这深吸的一口气让她惊骇了，恐惧了。她闻到了人的气息，在背后浑浊的气息里有人的气息，没有阳气的人气。

如果影子真的是戏台上哪个干瘪的男尸的话，那就太可怕了，她曾经在龙虎山听护法老天师说过，干尸起人息，一般有两种可能，一种是仙家借体，而且是道行很深的仙家，但道行很深的仙家又怎么会借一个肮脏的陈尸枯骨。那就是第二种可能，妖魔脱镇还魂！

其实鲁天柳是自己吓自己，那两种情况也只是传言，并未曾有什么人亲眼见到过。但还有个很少人知的第三种情况倒是肯定存在的，那是有人练了一种功夫，将自己练成一个干瘪枯尸一般，这人不但没死，是个活生生的人，而且功力的高深程度是平常武林人无法想象的。那功夫叫“地火熬脉”，功夫练到最后能将练功人浑身上下的人油、脂肪都熬得精干，明《异士见记》[1]有：“南方异士……形若髅，轻若枝，气若丝，力如象，不可尽知其神通。”这功夫据说为异域传来，已经在江湖上失传很久了。因为很少有人愿意练这种尸功，不但很难练，过程十分痛苦，而且练成后连人形都没了。

背后的暗青色影子一直在追击逼迫鲁天柳，就好像猫捉老鼠一样，却不知是为何，他始终没有出手攻击。

鲁天柳被突然出现的活人气息吓得有点懵，她虽然知道这里肯定有人在操控女活尸，但却认为这人应该躲在什么暗处。而这暗青色的影子应该是和女活尸一样的男活尸，只是他的身体较轻，所以操控后可以动作更快。但现在的情形似乎是在证明，操控女活尸的可能就是男活尸，那男活尸又是谁在操控？

有些事情让暗青色的影子很困惑，之所以一直紧紧追逼在鲁天柳身后，就是想将这件事情弄清。影子不是个手软的人，更不是心软的人，就算他调教了十多年的手下、弟子，他都可以眼都不眨一下就要了他们的命。可是前面这个从未谋面的小姑娘，他竟然不忍下手，而且有几次稍稍将手伸出，那姑娘竟会突然显作一片模糊，让他不知该往何处去下手。还有刚才通过女活尸用琵琶传出“地火裂桐柏”的琴音，这姑娘的心神竟然不受丝毫冲击。这样的一个女子到底是人还是妖？

心中慌乱、思维混乱，这样肯定是会出现错误的，鲁天柳也同样出现了错误，她脑中念头转了转，这么一个错神，就没有及时拐弯，而是直奔右面楼梯口而去。

鲁天柳直扑楼梯口，暗青色影子也是紧追而去。

可是鲁天柳没有可能下楼，在这样迅捷的追击下，她来不及翻到栏

1　明代一部记录各种奇异之人的书册，由当时的户部负责编撰。编录此书其实没有什么实际意义，作用只是为了满足宫内不能外出之人的猎奇心罢了，所以其中有许多内容是杜撰出来的。

杆外面去。她只是转了个身，无奈地转了个身，抓住了先前挂在楼梯口方架梁上的飞絮帕链子，随着链子的摆动，她的身体在空中自然地转了个方向。然后左脚后面墙上一踩，右脚往上面链条一勾，一下子横在了空中。

暗青色的影子紧跟其后，鲁天柳的身子刚转过来，影子已经和她面对面了。影子很是意外，于是他的身形也在空中戛然而止。

刹那间，两人都停住了，也都愣住了，面对着面，离得很近很近。

这一刻，鲁天柳是无处可躲的，影子却是无从下手的。

她没想到影子和自己如此贴近，让她只看到一双深凹着的黑乎乎的眼洞，眼洞里的黑是浑浊的，没有眼睛的芒光。直到此时，鲁天柳还是没有看清背后追她的到底是什么东西，是戏台上不见了的老男尸？还是另有其人？

但她还有更为清明的三觉，她闻到了气息，人的气息，就在距离自己嘴巴不到一寸的地方。她口鼻周围也感到极其微弱的气息在拂动皮肤上的那些汗毛。

鲁家“辟尘”一工里有“鼓尘”一技，是专门用来去除换气暗管和封闭槽道里的灰尘的。“鼓尘”，对于大的暗管、槽道可以用风具来鼓，对于那些小的都是直接用嘴来吹的。这就要求会“鼓尘”一技的人有悠长的气息和强劲的喷口。

“呸！”这就是强劲喷口的声音。鲁天柳发出这声音是因为看到的眼洞让她害怕，是因为拂动她口鼻处汗毛的气息让她恶心，是因为她想在面对死亡的最后一刻再表示出一点自己的坚强和不屑。

影子还是不知道自己为什么下不了手，这个没有什么特别的姑娘，在接近后甚至都有一种亵渎了什么的罪过感觉。

这一刹那，他停顿在空中的这一刹那，他从姑娘的眼睛看到自己的影子，看到自己的影子忽然碎成粉末一般，并且被风吹得四散而去。

他惊愕了，恐惧了，随即听到“呸”的一声，这一声让他觉得像是自己的身体已经爆开，他惊恐得几乎都要大叫出来。

但正因为高手没有喊叫出来，所以随着鲁天柳一记喷口，喷出的化秽丸很顺溜地从影子的口、喉、食道一路直落入肚。

一刹那，一切都在空中停顿的一刹那之间。

暗青色的影子不是鬼魅，更不是神仙，所以他不会凭空悬在那里。影子掉落在地的声音是沉重的，这是鲁天柳第一次听到这影子发出的脚步声。落下地的影子竟然没站住，双膝一软，跌坐在地。这是由于他害怕了，慌乱了，一个清凉的圆滑珠子顺着他的喉咙食道直落下去，感觉中就像一把冰冷的刀刃划破他的腹部。

跌坐在地的影子此刻心中是万分的懊悔：外面的世界什么高人没有啊！这个丫头要是真的不济，我怎么会对她下不去手？明明下不去手我还紧跟背后做什么？还是中了诱口，还是中了诱口啊。

鲁天柳终于看清了，影子真是那个戏台上的干枯男尸。可这怪物现在用的是何招式，她却一点都看不懂，但总体上感觉这招式应该不会对自己造成什么危险。

枯尸从软坐的姿势回复到跪姿，他那始终半开着的枯瘪嘴巴里清晰地吐出两个字：“饶命!”声音很尖细，竟然还稍带一丝妩媚。

这样的话对于那枯尸来说并不陌生，有多少人在他面前说过类似的话。这样的话让鲁天柳摸不着头脑，她第一次见到有人这样跪着求她饶命，而且还是个让自己恐惧害怕的怪物。

枯尸见鲁天柳没有言语，又说：“大太监顾让求姑娘饶命！”

“哦!”鲁天柳这一声好像是在答应他，也好像是因为明白了一些什么。是的，她知道为什么这男枯尸有人气没阳气，是因为他是个阉人，这男枯尸为什么会嗓音尖细，是因为他是个太监。“可是他为什么要我饶他性命呢？”鲁天柳在想，“难道我的化秽丸击中他的什么气门要害了？不是呀，化秽丸好像是吹入他的口中了嘛。要么这化秽丸对于他来说是毒药？不可能吧，要真是的话，我还真不知道怎么解啊。”

化秽丸不是毒药，但是对于练“地火熬脉”这种枯尸功的人来说，那化秽丸的药力给予他内腑的刺激是很大的。但仅仅是刺激而已，却没有任何危害，其功效只相当于一块强效薄荷糖而已。

庆幸的是面前这个高手是个不会在外面世界闯荡的太监，而且是个身份很高的太监，不会和那些在外面办事的下等角色有什么交流。所以外面世界中有太多的事物都是他见知的盲区。无知造成了他的恐惧，恐惧又造成他的屈服，而屈服几乎是他这种人的天性，所以他只会使用求饶这样一条途径来解脱他自己认为的困境。

可是这里怎么会有太监？难道真像爹说的，对家是正宗皇室后裔？可就算是皇室后裔也不该遣用太监啊，除非是这家人企图复辟，平常都以帝规皇律行事。

鲁天柳从链子上小心翼翼地滑落到地面，她的心里还是害怕到极点的。她现在已经知道，面前这怪物不是像陆先生说的那样是什么仙妖鬼魔，但至少也是个自己难得碰到的世外高人。可这世外高人怎么会对自己屈服讨饶？这等高手就算误以为自己被下了毒，也完全可以用先擒拿后逼迫的手段拿到解药呀？

世外高人有两种，看透凡尘避世的和从未入世的。老太监就是属于从未入世的，从小就被藏在暗处训练，几乎就未与世上之人接触过。他除去武功，所会所知的真的太少太少。再加上此时太监高手在心理上已经完全溃散，面对一个自己不知如何下手、从何下手的人，他只能放弃自己尚存的能力和手段。这就是人性的弱点，在这方面人是无法与机械相比的，机械布置的那些坎面永远不会有恐惧、绝望、求生的概念。

“先下楼去吧！”鲁天柳说这话用的是北腔官话，语气沉稳悠长，就像她鼓尘的气息那样，她也不清楚怎么会这样的，怎么有些像唱戏里的皇上对奴才说的腔调。可这样的语气在那枯尸听来，却像是天籁梵音，却像是落入一个神圣境地。犹如儿时看着窗外蓝天，听着微风拂过枝叶的声音。那一刻自己所有的梦想和憧憬，让他心中狠狠地一番震荡。所有这些感觉，让他只留下一个必须遵从的意识。

枯尸没站起来，而是俯下身伸手将后墙上最底下的第三块砖翻了个身。右楼梯上已经动作的“匣中刺”发出“咣”的一声响全复位了。“砖不复原位，套子不动。”枯尸边说边站起身来。

鲁天柳没有马上下去，而是用手指指瘫在地上的女活尸，正想说话，枯尸太监已经开口：“牵线尸偶，尸是百毒浸尸，用九节十寸活转钉打入关节，再用缅钢丝牵钉尾控制。”

其实这些鲁天柳也猜出了个八九分，她曾经听鲁恩讲过用尸首杀人的故事，好像是明朝人撰写的《奇案百录》[1]记载的，不过那是用细铁杆来控制尸体的，比这牵线尸偶简单得多。所以当鲁天柳在五郎飞插上来的刀刃面上发现和周围颜色相似的细丝时，她就灵光一闪，断定女活尸是被这些细丝控制的，这才调转方向，拉住女活尸，让它背后的细丝绊住刀刃，从而拉断了控制活尸双腿的缅钢丝。

“带上她好吗？”鲁天柳没等枯尸太监说完就打断了他，她并不是想知道女活尸是怎么回事，也不是觉得这女活尸有什么用场，她只是想让这已经无法走动但带有剧毒的尸偶成为高手的负担和累赘。女孩子的心总是比较细的，考虑得也比较多。

鲁天柳取回自己的一对飞絮帕，下了楼来。但她没有从楼梯上下来，依旧从栏杆外沿下到楼下，坎子行的人都知道，什么时候都不能太相信对手的话。枯尸太监拉着女活尸没断的几根弦，倒拖着尸身，慌不迭地跟着从楼梯上下来。女活尸在这下楼过程中，拖耷着的上半身和头

---

1　明代一部记录各种奇案大案的书册，由当时的刑部负责编撰。此书对实际案件的侦破有很大的指导意义，直到民国，都作为刑探部门的学习参考资料。

部在做着怪异的动作和表情。

楼下是一片狼藉，这在鲁天柳的意料当中，五郎直直地跌躺在青砖地面上，这鲁天柳也早就猜到。否则，五郎的刀绝不会出手不收。

鲁天柳急切地跑过去，打眼之下就已然知道五郎中毒了，因为她天性就对那些带有浊秽污毒的东西特别敏感。

凑到近前，看到五郎的脸色是青灰色的，却不知中的什么毒，也不知道是怎么中的。于是她又将五郎翻过身来，五郎臀部的两处伤口让她不禁脸上一红。因为她刚刚在想，找到中毒伤口，将毒吸出来。

“只是‘水腐草’毒，毒势来得虽快，性命却是要三天才会丢。”枯尸太监在鲁天柳后面说道，尖细的语音里明显有谄媚的味道。

鲁天柳听这话猛一回头，这才发现枯尸不知何时已经与自己非常接近，心里不由一惊，本能地身体一挺，往后一退。

她的本能反应让枯尸太监产生更大的惊恐。在他感觉中，面前这姑娘突然间浑身上下散发出一股清灵的气波来，这气波一层层跃出，将姑娘包裹其中。不，不能称作姑娘，简直就是天女，是仙姑。

高手，真是高手，这高手不是鲁天柳，而是枯尸太监。能感觉出这样气波的人已经是以功力将天眼脑脉打通了。

气波给枯尸太监带来了极大的压迫和震撼，让他显得卑微和弱小。这一刻他知道自己的判断没有错：这姑娘，不，这仙姑是个真正的高人。这样的高人之前他只见过两个，那就是自己的主上和主上的师父。

本来枯尸太监是想用解“水腐草”毒的方法来换取喷入自己腹中那颗毒药的解药。现在在鲁天柳挟带气相的震撼和压迫下，他没有提出任何条件，马上从怀中掏出一个镶金双层锡盒。先给五郎的伤口涂上一层油膏，又喂进口中一粒药丸。

“药丸解毒，性命无碍。油膏是为伤口愈合，‘水腐草’会让伤口久不愈合，留下丑陋伤口。”枯尸太监说完也做完。

鲁天柳觉得自己也该做些什么：“你想要……”

“只求解药一枚，往后绝不敢与仙姑作对。”枯尸尖细的声音一本正经地说道。

鲁天柳真的想笑，她不清楚怎么一会儿工夫自己就变成仙姑了，而自己这仙姑刚才还以为面前这怪物是仙家、妖魔呢。她极力地忍耐才止住笑，现在必须稳住这个怪物，不然自家进来的几个没人是他的对手。鲁天柳还是高估了自己，其实要说技击功夫，他们进来这几个捆在一起都不是这一个枯尸的对手。

鲁天柳掏出化秽丸的瓶子，倒出两粒给他，“吞一粒，还有一粒整三日后吞下。十日内不可用力打斗。”鲁天柳考虑得很周全，就她这几句话，至少可以让枯尸太监今日之中不能再与他们为难，让他们暂且先避过眼前这一关。

五郎醒来了，枯尸的药果然很灵。五郎一醒，就马上活泛起来，他对面前多出的一具女尸和一个比枯尸还像枯尸的人虽然非常惊讶，但他生性不好奇、不多问，只要知道鲁天柳安然无恙就行了。

五郎对鲁天柳咧嘴憨笑了一下，自顾自去摘下挂在立柱上的捻股牛筋绳。然后一甩手缠住“如意三分刃”的刀杆，左手将牛筋绳拉紧，绷直。右手如同拨动琴弦一样大力在牛筋绳上一砸。捻股牛筋绳真的像琴弦一样抖震起来，震波从弹起的地方一直传到“如意三分刃”上。“如意三分刃”在立柱顶端钉卡得非常结实，要不然也绊割不断女活尸双腿上的四根缅钢细丝。但此时它却随着牛筋绳剧烈抖动起来，渐渐被拔了出来。在五郎连续几下大力砸敲牛筋绳后，那“如意三分刃”随着弹回的牛筋绳像条鱼一样蹦回五郎的手中。其实关五郎取刀的这种技法是船家背纤遇到激流险情使用的一种方法。突遇激流，船拉不到岸边，背纤人会马上将纤绳在固定物上缠绕一圈，然后由几个人在一头拉住绳头，另几人找粗大木杆敲打绷紧的纤绳。纤绳一震，拉绳头的人就将绳头一收，再一敲，再一收。如此慢慢将船拖到岸边。

刀一到手，五郎就将牛筋绳缠在了腰里。然后往鲁天柳身后一站，也不作声。

“你慢慢调理，我们先走。”鲁天柳对枯尸说了一声转身往堂前间的正门走去。走了两步，她又停住脚步，侧过头来问了一句：“你们这里像百毒尸偶这样的毒玩意儿还有吗？”

鲁天柳这可是问的对家坎面的秘密，一般情况对家人是打死都不会透露的。

“还有‘尸茧蠨（shāo）蛸（xiāo）’，布在前面天井的‘四水归一’。”枯尸想都没想就脱口而出，说完以后连他自己都觉得奇怪，他在对家这仙姑面前竟然比在自家主子面前还老实。

鲁天柳知道尸茧是什么，因为她见过。尸体为防腐，用海鲑鱼汁封泡尸体，这样尸油就凝结成球。尸体腐化后，尸油球就干结成茧。这茧子可以养，经常给些荤油就能让它不会瘪死，她在龙虎山就见到过养着的尸茧。至于这蠨蛸是什么，鲁天柳却是一无所知。

“五哥，带上那格尸偶哉，提拉她身后格细弦，勿要碰伊身子，伊有毒格。”鲁天柳又重新用吴语交代五郎，她带走这尸偶是为了防止枯尸太监换弦重新用她来对付自家的几个人。刚才虽然说让他不要用力打斗，保不齐他会用尸偶来代替他打斗。她这心思真的是缜密如丝。

鲁天柳从容地推开了厅楼正门。她知道，只要这堂前间里的扣子都放完了，那么所有封口自然就解了。眼见着堂前间里的狼藉景象，扣子肯定放得差不多了。

鲁天柳走出轻松打开的正厅花格门扇，五郎拖着女活尸紧随其后。

出了门，他们二人发现过廊里本该有的木隔断已经不见了，而前路来路也都未见到自家其他人手。人不见了，最大可能是他们路走错了。于是他们两个索性还往来路返回，并从道口往花房那个方向走去。

走出十几步后，鲁天柳再也忍不住了，轻笑着对关五郎说：“格人太好笑哉，神神经经个当吾菩萨一样格……”这话没说完，她突然停住脚步，因为清明的听觉中隐隐传来楼厅里枯尸太监在喃喃自语：“高手，果然是高手，竟然知道用‘百毒浸尸’去收‘尸茧蠨蛸’。”

# 第五章　身上暗藏十六扇刀锋的恐怖“刀人”

两广暴乱，两广总督遣人暗运一批古器珍玩入京，在黄河渡口被几个浑身是刀的杀手劫杀，所运物件被洗劫一空，这就是清末案卷中有名的“刀人血洗仓临渡”。据传闻说，这种刀人身上携有十六扇刀锋，所以都管他们叫“十六锋刀人”……刚才鲁恩一见到这两个黑衣人就感觉他们刀气满身，那时就已经在猜测两个黑衣人可能就是“十六锋刀人”。他这才先下手为强，不惜使用飞刀斩杀的技法，灭了他们一个再说，要不然自己在他们夹攻之下绝对没有任何机会。

## 寻隙逃

鲁盛义看着失魂落魄的人，他显然是被这炸鬼嚎夺走了魂魄。多少年没见了，这人本就已经苍老得不成样了，再如此一副失魂落魄、身上处处伤痕、衣裳破烂如缕的凄惨模样，真就如地府的游魂。可他是什么时候到的姑苏？又是如何入的这个园子？他来此处又是何目的？

鲁盛义不是傻子，鲁盛义是个大风大浪里闯过来的老江湖。满腹的疑虑似乎有了一点点的苗头，但这苗头必须轻轻提起理顺，稍不小心就会断了节儿，无从再找。

他没有理会这个已经失去魂魄的老相识，而是快速往刚才发出巨响的方向走去，因为他有更为紧急和重要的事情要去办。

没几步他发现了亮光，这里是个暗室，暗室与旋道相连的墙壁被撞破了个洞。坎子面的行家就是行家，鲁盛义在旋道里左右看了一下，再探头看了一眼暗室里的布置以及风口、回口。他一下子就知道了这炸鬼嚎大概是个怎样的原理。然后也知道为什么那个失魂的人会撞破室壁钻入旋道。

鲁盛义在“玲珑百窍”三环旋道最里层的坎子中心找出路，用“回音锤”敲击寻找空门。此时旋道中无风，声音传送不再是风吹百窍发出的顺向环音，而是以这坎面为中心扩散。这样“回音锤”敲击的声音便经三环道，左右六路最后集中传到这暗室之中。不是对家的坎子有漏洞，是因为暗室之中操作坎面的竿子在躲避呛粉的时候没有将风口和回口的封门关上。

一声六回旋，这百窍玲珑的旋道又是扩音的好场所。于是漆黑静谧的旋道里回荡起的如同驱魔梵音的声响，在暗室里变成了如同撕破天幕的炸雷。可能也只有这比炸鬼嚎更震撼的声响，才能对已经被炸鬼嚎夺去魂魄的人有点刺激和诱惑，诱发出的其实也只是他在失魂前遗存的一点脱出求生的意识，于是那失魂人才会撞破木壁往鲁盛义这里走来。

鲁盛义瞧着暗室之中没有人，便钻了进去。暗室没有门，只有一整面墙壁。

一个居室只有一面墙壁，这墙壁只有一种砌法——圆桶状。这样的圆桶形其实是最好的防御形状，因为从它的外部看，它无处不是拱形的最高点，所以可以承受极大的外部撞击，这和拱桥可以承受很大压力的道理一样，但它的内侧承受能力却是极弱的，要不然刚才那个失魂的人无论如何也撞不开木壁。

鲁盛义取出木刻刀，鲁家人用的木刻刀一套有十八把，刀刃各不相同，各有各的用处，各有各的用法。鲁盛义此时取出的是三角锥头的。这是所有种刻刀中最有杀伤力也最利于攻击的一把。他知道，一旦寻到出口，可能立时就会迎来一场血搏。

鲁盛义收了自己的火绒，拿过桌上的煤油大灯，拎着灯挨着墙壁寻找可能存在的缝隙，不时还将耳朵贴在墙壁上仔细地听一听。他不敢敲击寻空，是害怕发出响动惊动对家在外面的人。

其实对家的人早就被惊动了，刚才暗室中发出一连串炸雷般的响动，已经让逃出躲避呛粉的那人感到万分惊异。本来这暗室在设计功能上就是闭音的，就算是那些收来的失魂人发出鬼嚎般的叫声，里面都不会听到一丝动静，更不要说传到暗室门外。

于是，他好奇又谨慎地打开暗室的出口。随后，鲁盛义听到出口暗门开启的声音……

听到暗门开启的声音也就知道了暗门开启的位置。这是个鲁盛义没有想到的部位，因为他刚才寻查过那里，既没有见到一丝缝隙，也听不到一点空音。

鲁盛义正对出口，左手高举大煤油灯，右手持三角锥头的刻刀紧贴在煤油灯的底部。

暗门开启了，非常宽，而且是由下往上开启的。也就是说门的接口缝隙是在下墙角。门虽然很宽，而实际的出口却只有门的四分之一，因为有四分之三的宽度是叠墙构造，暗门还很矮，只有正常人的胸口那么高。这样的结构就难怪鲁盛义连两侧的接口缝隙也找不到，也没能听到空音，因为他是按照正常高度和宽度寻找的。

出口很矮也是出乎鲁盛义意料之外的，这虽然不会有光线直射面部让他看不清进来人的情况，但他准备好的刻刀刺出角度就不对了，而且外面人进入的速度很快，鲁盛义想调整都来不及了。

外面的人低头钻了进来。这人应该不是个闯江湖的，他可以是个会家子，也可以是个坎子行，但他并不是个江湖人，从他进来的姿势甚至可以说他是个比较莽撞的人。暗室中发出如此奇怪的声音，他竟然也不考虑可能会有意外，就这样毫无戒备地钻了进来。当然也有可能他无论如何都没想到有人可以撞破桶形墙壁钻入暗室。

进来后，对家的人抬头看到一个人影，却看不到面目，因为大个儿的煤油灯晃了他的眼睛也遮住了对方的面目。当然，那暗藏在光线里的三角锥头刻刀就更加没法看见，他是从额头上的疼痛才知道明晃晃的光线中藏有犀利的杀人武器。

鲁盛义没有像原定计划那样刺中对家的咽喉，他刺中的是对方的额头。对方也真的是个会家子，还是个很好的会家子，这可能也是他为什么敢大大咧咧地直接钻入暗室的又一个原因。他一感到额头的疼痛马上就往后，速度比刻刀的攻击还快。所以刻刀虽然刺中额头却没有刺入坚硬的额骨。

避让的距离是有限的，对家的头已经靠住了出口的上部墙体，再也无处避让了。但刻刀也只是抵在额上，再也无法继续刺入，因为会家子利用退避的间隙，一双手已经死死扣住了鲁盛义腋下天府穴。

鲁盛义不知道什么人体穴位经脉，但他能感觉到自己被抓之后是疼痛中有酸麻，酸麻里有疼痛，肩部以下腰部以上一下子变得麻痹无力。

人一般都是右手力量大过左手，对家和鲁盛义也都一样。所以鲁盛义的左手臂在对手右手反击下首先失去了应有的功能，提着的煤油灯掉落在地。同时他清楚自己右手持的刻刀很快也会如此，因为右手的手指已经开始在失去知觉。

没想到好不容易逃出了歹毒的坎面扣子，竟然又会被一个松弦落扣的“竿子[1]”给困住了，可鲁盛义现在的状况确实是力不如人、技不如人，自己在人家手中就如同未成年的孩童。

右手已经握不住刻刀了……右手已经托不住刻刀了……右手已经搭不住刻刀了。

掉落地上的煤油灯只顽强地跳跃了几个火苗就熄灭了，也就在熄灭的那一瞬间，鲁盛义的右手也完全脱离了三角锥头的刻刀。

黑暗中传出一声短暂的惨呼，但在炸鬼嚎的旋道里却回荡了很长很长的时间。

就在鲁盛义再也没有能力把持刻刀的时候，就在鲁盛义无奈又无力地垂下手臂的瞬间，他将头颅狠狠地砸向了刻刀的刀柄。手臂没力了，上半身没力了，脖颈却是有力的，头颅却是有力的。

头颅在有些时候可以像个结实的锤子，这一砸，让他的额头血花迸溅。因为刻刀是真正的刻刀，刻刀柄是真正的刻刀柄。但是有一点是值

1　有些坎面中的机栝是需要人为操作的，操作的人就叫“竿子”。

得庆幸的，刻刀的三角锥头也是真正的三角锥头，锥头在那“竿子”脑门上撞击出要命的深度。所以鲁盛义的额头虽然淌着血，却保证了他能够自己走出了暗室的出口。

鲁盛义感觉一双手臂就像没了一样，但随着经脉渐渐地通了，剧烈的疼痛取代了麻木，仿佛腋下的肌肉都被捏烂了一般。

鲁盛义又拿出一把刻刀，这是一把尖棱槽口刻刀。刚才的三角锥头刻刀自己硬塞给了人家，就没有费力气再拿回来。

外面的光线并不是很刺眼，本来就是个阴霾的天气嘛。虽然刚才在黑暗中摸索了一些时间，但鲁盛义从适应火绒，到煤油灯，再过渡到现在出来，已经基本可直接适应外面的光线。所以他一眼就辨别出自己的立身之处是在花荫小道旁的黄杨树丛里。

鲁盛义握着刻刀，想想又从木提箱里拿出一个“凤眼刨”，为什么叫凤眼刨，是因为这刨子的刃口就像个细细弯弯的丹凤眼。

一手一样武器，多少增加了他几分信心。再盘算了下周围路径，便从桂花树丛中跨出，绕过两株宽大的芭蕉树，站在了花荫小道上。

这花荫小道和他刚才进入假山洞时的花荫小道不同，这是直通池塘边小楼边画舫过廊的，而他刚才走的花荫小道没几步就转进假山洞了。但这显而易见的怪异没有引起鲁盛义的兴趣，因为他看到了一幅血腥残酷、惊魂诡异的场面……

## 刀锋人

鲁恩面对如同闪电一般扑过来的黑衣人，他只有退，疾速地后退，因为他没有刀，因为他的右手不能动，因为他不知道这个黑衣人凭什么敢合身扑了过来。

说那黑衣人如同闪电，不止是说他的速度快，而且是他真的发出几道闪电般白中带青的光芒。那是他手臂在用力击出时，臂上的黑色衣料突然崩裂开来，现出三道刃口，在手臂的上下两侧和外侧。

“十六锋刀人”，果然是“十六锋刀人”，鲁恩心里不由一寒。他知道为什么黑衣人敢合身扑上了，因为他的身上都是刀，因为他整个人就是刀。

虽然鲁恩曾经是铁血刀客，但他的身份只是个侍卫，是个兵卒，所以对武林中的事情知道得并不多，特别是其中较高深和较偏门的武技。但由于他自己使用的武器是刀，因此对与刀有关的武技、门派特别关心，有空就千方百计找武林中人探讨刀技。就算是在鲁家，他也时常与以前的同行朋友有着联系，从他们那里知晓些江湖中的奇事变故。

十多年前，那时他已经在鲁家，虽然多年不做铁血刀客，却仍有以前同行好友给他带来一封书信，告诉他两广暴乱，两广总督遣人暗运一批古器珍玩入京，在黄河渡口被几个浑身是刀的杀手劫杀，所运物件被洗劫一空，这就是清末案卷中有名的“刀人血洗仓临渡”。据传闻说，这种刀人身上携有十六扇刀锋，所以都管他们叫“十六锋刀人”，让他以后遇到的话要多加小心。

刚才鲁恩一见到这两个黑衣人就感觉他们刀气满身，那时就已经在猜测两个黑衣人可能就是“十六锋刀人”。他这才先下手为强，不惜使用飞刀斩杀的技法，灭了他们一个再说，要不然自己在他们夹攻之下绝对没有任何机会。

刀人此时已经前扑了两步，四肢上的黑衣全都已经绽裂开来，果然都有三道刀锋。

鲁恩的心再一寒，如同落入一个冰窟。他清楚，虽然面前只剩下一个刀人，自己也一样没有机会。不是因为手中没刀，也不是因为右手无法动弹和肩部的伤，就算这些缺陷全都弥补了，他最多也就是拖延些时间，绝不会有获胜和逃脱的机会。那刀人动作快速得像闪电，四肢施展开后像无数道闪电，出手就是连环劈斩又像不灭的闪电，而且这才只露出十二道刀锋，还有四道未露，而未露的才是真正厉害的后手杀招。

鲁恩躲避得很狼狈，几乎是在满地打滚，并不是鲁恩无法站立，这是故意示弱，这是用另一种方式来拖延时间。十六锋刀人这等档次的杀手，不管面对的是高手还是弱手，都是全力而杀，绝不会有任何的手软，但是他们也绝不会满地打滚地去扑杀必定要死的人，毕竟他们是这世上一等一的杀手，就算杀人也要杀得漂亮，杀得有风度。

所以鲁恩只需要应付两腿上刀刃的攻击，攻击力少了一半，拖延的时间就长了一倍。

但拖延时间对鲁恩来说并没有太大意义，他没有后援，而那刀手却有帮手，就是移动太湖石过来夹攻的另一个人坎杀手。此时那人坎已经转过了太湖石，正准备转动荷叶缸闯到这一半的坎面来夹击。先前荷叶缸转动的位置已经开了空儿，本可直接过来，但是由于那人坎转动了太湖石，所以整个坎面变化了，要将荷叶缸重新变个角度这才过得来。

刀人的动作明显变快了，看得出他是想在帮手到来之前解决鲁恩。

杀死这样一个对手有可能是个不小的功劳，那为什么要将这功劳与别人分享。

刀人的攻击有招有式，动作潇洒，但他要想在短时间里解决鲁恩，就必须双倍加强身体下部的攻击力。

鲁恩虽然在地面上滚爬着，眼睛却是一直盯着刀人的手脚，他在提防另四把刀。他心中估摸，刀人突然加快攻击的节奏，有可能是要逼使自己手脚更加忙乱，疲于应付那十二道刀锋，然后他可以在某个出人意料的部位用他暗藏的四把刀杀出，一击而中。

刀人突然一脚踢出，这一脚让鲁恩觉得有些怪异，因为他没有利用小腿前面和左右的刀锋进行斩杀，而且出脚的角度也不是太合适，鲁恩几乎不用躲，那脚就已经擦着鲁恩的身体过去了。

踢空的脚似乎抬得过高了些，并且膝盖也绷得太直。可这样的姿势可以让脚跟更加有力、更加无所顾忌地直落下来。

鲁恩看清了，刀人的这一招类似北路腿法中的“倒磕”，可是这“倒磕”中怎么会有寒光四射？

等到鲁恩看清楚那寒光四射的是一道刀锋的时候，他的反应动作就明显慢了，虽然他侧身往一边躲过了半尺多，可是刀锋还是在他的背部到腋下勾勒出一道嫣红的线条，线条在瞬间变粗，漫涨，很快就渲染成一个大大的红团。

刀人的动作是持续的，是连环不息的。他右脚的“倒磕”刚落下，左脚就已经抬踢在空中了。所以还没等鲁恩感觉到疼痛，他的身上就已经出现了第二道伤口，接着是第三道……

刀人终于使出了他暗藏在鞋跟处的两道刀锋。

鲁恩的躲避只能是让刀人多出的两道刀锋不刺入自己的要害。眼下的皮开肉绽、鲜血飞溅相比而言已经是值得庆幸的事情。

合围的人坎是个高大强壮的会家子，他轻易就将荷叶缸移动过一个角度。现在他与鲁恩之间不再有任何阻挡，只有一个两步远的通道和鲁恩完全暴露的背部。他只需要走过去给上一刀或者狠狠一脚就解决所有问题了。

刀人也意识到这点，所以他猛然跃起在空中，他要双脚齐下，一招要了鲁恩的命。因为再慢半拍，不仅仅是要与别人分享功劳了，甚至全部的功劳都会归在别人名下。

身体跃起，双脚都抬踢在空中，他要一起落下，双锋齐磕，这一招是要鲁恩必死的一招，可是越是凶险的招式，也越有可能给别人机会。刀人的这一招使得急了一点，这就让满地滚爬的鲁恩有了一条活路。

浑身是血的鲁恩已经不知多少次经历过这样的浴血场面，所以他虽然受伤、躲避，可是一双眼睛无时无刻不死死盯住刀人的动作。这就像在战场上一样，不管受了多少伤，不管场面多混乱，你一定要保持清醒，认清你的敌手，要不然，第一个死的就会是你。

“十六锋刀人”，全身都是刀。这样一个与杀人武器融为一体的杀手堵住你的出路，你能有什么办法将他驱开？你的每一个攻击都如同是将自己往刀人的刀口上撞，除非是他给你让一条路。

刀人双脚齐跳，腾空跃起，却正好给鲁恩让出了这样一条活路。这样一纵即失的机会也只有像鲁恩这样的，在战场上刀风血雨中闯荡过来的人才会抓住。

刀人的跃起并不太高，因为鲁恩本身就在地上滚爬着，他不需要太高就可以将鲁恩的身形完全罩住。刀人的下落也很快，因为速度才是必杀的前提。

鲁恩的身体也纵出，虽然他的速度没有刀人快，但他的程序比刀人少，他只需要向前下方落下，所以当刀人脚跟双锋落下时，他的身体已经紧贴地面，从刀人臀部与地面草皮之间不大的间隙里滑了过去。

刀人脚后双锋失去了目标，这让他十分意外，于是立即变招。他是不会跌坐在地上的，更不会让落下的双锋插入泥土之中。只见他侧向打横，单手在地上一撑，同时双腿往回一收，便半蹲在了那里。

半蹲着的刀人只需要站直身体，然后双脚往后反踢，鲁恩便依旧在他的攻击范围之中。事实上他也的确是这样做的，这种连续反应对于刀人这样的杀手来说都是下意识的。可是他再次意外了，不止是意外，他还感觉到负担。

连续反踢出的两脚都落空了，在他的身后好像根本就没有鲁恩这样一个人。从刀人臀部下滑过的鲁恩，上半身刚过去，便立刻抬起了双腿，这样他的小腿就正好挂住了刀人的腰部。小腿有了着落，鲁恩马上使力夹紧，随后腰部用力，上半身顿时翻转过来。同时左臂手腕上鱼皮护套甩出，缠住刀人左臂根部，吊住自己身体，并尽量将左臂往后拉。右手虽然不能动，右臂却是可以从刀人腋下抄过去，死死地勾住刀人的右肩往后扳。而鲁恩的脑袋则用力抵住刀人的后脑勺，这样他的身体就完全趴附在刀人的背上。

做完这一切，刀人也正好收回反踢出的双脚。

刀人的反应是果断的，他没等鲁恩完全将他的后脑勺顶死，就用力扭转自己的头颅。

扭头！出刀！第十五道刀锋闪着刺眼的白光，正对着鲁恩的眼角处扑闪而来。刀人这一刀没有征兆的，而且完全没有出刀的规矩，出刀的地方更是鲁恩想都不敢想的。

这一刀锋竟然是从刀人的口中刺出！是的，第十五把刀竟然藏在刀人的嘴巴里。

刀锋直逼眼角，眼光只能在刀光中显示出怯弱、退缩。鲁恩抬头后仰，既然不能阻止刀人的脑袋后转，既然不能阻止刀锋的斩切，那就只好躲。

刀人需要的是在刹那间取命，要不然他的局面就太难堪了。必杀的一招使出，非但未能一杀成功，反倒被垂死挣扎的对手缠在了身上。现在被逼使出第十五道刀锋，如果再不奏效，他不止是没面子的问题，恐怕以后的日子都会变得很难过了。

刀锋在鲁恩的脸上停留了下来，因为鲁恩不愿意从刀人的背上跳下来，这样的话，他就只好用自己的脸去阻挡对手的刀了。

鲁恩是想清楚才这样做的，他要是从背上下来，不要说已经是两面合击的局势，单单就是此时已经恼怒之极的刀人，就会不顾一切不择手段地要了自己的命。所以当脑袋已经让无可让时，他索性将自己的脸迎了上去。

其实鲁恩搏杀中最大的优点就是会掌握时机。此时刀人的头扭转到了极限，也探伸到了极限。这样的角度位置，就类似强弩之末，出刀的速度不会太迅捷，力度也不会十分强劲。但是这位置角度也是鲁恩无法再继续避让的，锋利如同纸片的刀刃差不多已经够到他的颈下，瞬间便可毫无阻碍地切划过他的脖子。于是，鲁恩只好不避反进，就在这速度和力量都不是太大的位置上，一口咬住了那锋利的刀锋。

鲜血从鲁恩的嘴中涌出，滴滴答答地溅满他的胸前和刀人的后背。刀锋还是割破了鲁恩的嘴角和舌头，可命却依旧还是鲁恩自己的。

锋利的刀可以让鲜血如同泉涌的同时却感觉不到太大的疼痛。所以无数次浴血的鲁恩依旧保持着清醒，炫目的鲜血是不会让他产生丝毫慌乱的。

刀人无法收刀再杀，他脑袋扭转的角度差不多到了极点，是个无法使出大力的角度。鲁恩虽然咬的是刀刃，但他脑袋的角度位置却是可以利用颈背一起用力，一副钢牙将刀锋咬得紧紧的。

鲁恩不能松，这一松他就没有第二次机会咬住刀锋了，那就又是一个必死之局。刀人也不敢松口，他知道口中刀要是让给了鲁恩，趴在背上的对手同样可以给自己致命伤害。

局势突然之间变成了这样，刀人无论如何都没有想到，他开始认识到一个事实，面前这个人，其实很难被杀死的。他也认识到自己速战贪功是个极其错误的想法，现在的局势必须依靠合击的同伴。

刀人是聪明，他转过自己的身体，将鲁恩的后背再次暴露在自己同伴的面前。刀人也是愚蠢的，他转过身体后，就急切地朝后退步，想将鲁恩尽快送到同伴的面前。

刀人能想到的，鲁恩这个老江湖肯定也能想到，刀人后退了才一步，鲁恩就已经放下反夹在刀人腰部的双腿，一起快步往后退走。退走的速度由于多出了两条腿而变得迅疾且踉跄，再加上刀人背上一直挂着鲁恩的体重，这一退几乎变成了两人同时后倾跌倒。

另一边过来的高大人坎被面前这两人怪异的格斗场面惊呆了，他一时搞不清楚自己应该怎样才能帮助到自己的同伴。一直到两人缠裹在一起朝着他这边跌撞过来，他依旧没反应过来。

其实这个高大的人坎也有他的道理，他不敢用手中的刀砍下或刺出，缠裹在一起的两人只要稍稍有点变动，就会误伤到自己人。就算自己出刀不会伤到自家人，力杀之下，他们两个同咬着那把刀锋也有可能造成两败俱伤。

就在高大人坎犹豫之时，两人已然跌撞到他的面前。他左手一把抓住鲁恩的肩胛，却不知是推好还是拉好，于是在前面两人跌撞的力道作用下，一起往后快速倒退。

高大的人坎撞在了荷叶缸上，鲁恩的后背撞在他的胸前，撞击一点也不重，因为高大人坎的左手撑住了他的身体。刀人的后背撞在鲁恩的胸口，也不重，因为一道刀锋在两人的口中，谁都不敢用力，谁都在极力控制自己脚步下的跌撞。

鲁恩感觉到疼痛，穿透骨髓的疼痛。高大人坎一时之间不知该如何解决鲁恩，所以只好将全身力量都集中到左手上面，就好像溺水的人捞住一件东西就死命抓紧。鲁恩感觉肩胛骨像被捏碎了一样，如果不是嘴里咬着刀刃，他肯定会惨叫出来。

鲁恩没法子对付背后的高大人坎，他只能挣扎着往后戳出两脚。这两脚，人坎轻易就躲过了。戳脚踹不中人坎，就只能踹在荷叶缸上，强劲的脚力把大大的荷叶缸震得嗡嗡直响，缸里的水纹也打起了旋儿。

荷叶缸里的水其实不多，因为里面有好大一部分都是淤泥，用来种荷花的淤泥。但那不多的水竟然打起了旋儿来，而且那旋儿越来越大，最后变成了泥水的旋儿、淤泥的旋儿。这景象好多人都见到了，只要是在这园子里高处埋伏着的人坎都看到了，包括站在花荫小道上的鲁盛义也看到了，但是谁都没有出声。有人是惊讶得忘了出声，有人是根本没想出声。

淤泥的漩涡中伸出一只大手，脏兮兮、黑乎乎，长着鳞形角质的手。这手一把捏住高大人坎的脑袋一扭，骨头折断的声响很清脆，在这园子的哪个角落都可以听得很清楚。

高大的人坎连个闷声都没发出，便被这只鳞片大手拎着脑袋无声地拖进了荷叶缸中。

刀人口中出刀，回头刺杀，头始终扭在后面，所以看到了这一切。他好像是知道这东西的，突然不管不顾地松开了嘴里的刀锋，用尖细的声音大叫起来："落水鬼上岸了！落水鬼上岸了！"

鲁恩才不管什么落水鬼，他没吭一声，继续紧咬着刀刃不放松。然后他将整道刀锋狠狠朝前送去，他要阻止这个刀人继续喊叫，只有他停止了喊叫，自己才可以解脱。

鲁恩的嘴紧紧贴住了刀人的嘴，贴得那么紧密、那么用力。不知道刀锋的另一头是什么形状，其实不管什么形状，这样一道锋利如同纸片的刀刃深深插入到喉咙里面都不是什么好事。

刀人松弛了的身体和鲁恩一起跌倒在地。刀人再也爬不起来，就因为他看到了那么一只有鳞状表皮的大手。鲁恩慢慢爬起来，一扭头正好看到那只大手搭在荷叶缸的缸沿上，他虽然没有看到刚才是怎么回事，但他清楚，自己背后那个高大壮实的人坎突然消失肯定和这只手有关。

这是一只诡异的手，落水鬼的手，是一只像人手却没有人味儿的手。鲁恩的感觉是复杂的，就像那手污秽不堪的长长手指探到他喉咙里一样瘙痒、恶心、恐怖。他再也忍耐不住，跪倒在地上，边呕吐，边朝着远离荷叶缸的过廊那边爬行。

荷叶缸里发出一声怪叫，声音不高却摄人魂魄。在这声音中，一个大手大脚的小东西划过一道长长的弧线，直接落到池塘的中央。

鲁盛义几乎是和这个小东西一起动作的，他迅速从惊怖和惶恐中恢复过来，迅速朝着画舫过廊奔了过去。

"封层，敞水。"甜腻的声音依然是金色狸子面具的女人发出的。话音刚落，发话的女人不见了，水边石头平台上的女人不见了，很快，池塘中荡起的涟漪也不见了。

同在这园子里的鲁盛义和鲁恩都不知道女人的话是什么意思，但其他的人却都知道。封层：护住小楼，不要让他们进去；敞水：撤开池塘周围坎面，将他们逼入池塘。

鲁盛义比鲁恩先一步到的过廊，所以先一步被人踹到池塘边上。他站起来后没有马上重新跃入过廊，因为过廊里鲁恩已经在和踹他的人坎动手了。鲁盛义没有过去帮忙，只是紧张地看看他们的打斗，再不时看看背后的池塘，似乎觉得水里那个落水鬼的怪异大手随时会将他拖下池塘去。

过廊里鲁恩用左手持刀。很快，那乌青砍刀脱手飞出，却不是飞刀斩杀的绝招，而是被对手震飞。砍刀钉在过廊的廊柱上不停抖动着，乌青的刀刃像一汪溅动的水波。

鲁盛义往过廊那里走近了两步，却又悄然止住。

池塘的中央轻轻冒上几个气泡，浮上水面后久久没有爆裂。

## 阴气升

往花房去的路径很短，没几步就要拐弯了。拐过弯后是一道青瓦波浪檐脊的月白院墙，墙上有个没有门扇的圆月门洞。从门洞往里望去，雾蒙蒙一片。阴霾的下午，这个小院子里起雾了。

鲁天柳在门洞前静立着，清明的三觉渐渐进入了忘我的状态。

最近她发现自己在三觉的功力上有了很大的提升。她没告诉任何人，而是自己偷偷跑到陆先生房里偷了本《玄觉》来看，这书是她和陆先生一起去龙虎山时，白胡子掌教天师送给陆先生的，本来是让他在合适的时候给鲁天柳讲的，而陆先生一直都没有再和鲁天柳提过这书，大概他根本就已经忘了。

实话说，这书真的很深奥，就凭鲁天柳在道学与玄学上的造诣，是很难理解的，但鲁天柳是聪明的，不同一般的聪明。她一页一页地翻书，并不仔细看所有的内容，因为需要的东西会下意识地落入眼中。

“异觉需心性驾驭，集精聚神理清明，无我无形，可觉蚊翼风动土下蚁行。”这样的玄学理论鲁天柳好像许多年以前就已经知道，只是需要这书本再印证一下而已。

弥漫的雾气里有阵阵清香，应该是新鲜枝叶的气味。并且，这清香随着簌簌的响动，变得渐渐浓郁。其实这一切只有鲁天柳能感受到，跟在她身后的五郎对这样的环境和变化没有丝毫的觉察。

鲁天柳不知道那簌簌的响声是什么发出的，但不管是声音还是气味，给她的感觉都是很好的，就如同是遇到朋友、亲戚一样温馨自然。于是她走进了迷雾之中。

关五郎跟在她的后面，手中还拖着那女活尸。他一开始就想走到鲁天柳的前面，可是鲁天柳不让。这对于五郎来说也习惯了，因为哪一次都是这样，在应付坎面的能力上，大家都不够信任他。

现在鲁天柳走进了院子，不但没有让关五郎走在前面，而且还回头示意他先不要跟着了。鲁天柳比五郎本人还要了解他，像他这样莽撞、懵懂的性格其实很不适合干坎子行的事情，几乎每次外出办事都要受伤。不过这傻小子还算命大，哪一次都能险险地把命捡回来。

不过五郎也有非常难得的优点，就是听话，而且根本不问为什么，让他停住便站在圆月门外没跟着进去。只是在鲁天柳走进迷雾的瞬间，他将手中刀杆一竖，开口说了句："有事你唤我一声。"

鲁天柳回头朝他吐吐舌头，做个怪脸。由于有迷雾的遮掩，五郎看得并不十分清晰。

四五步，只有四五步的距离，鲁天柳已经完全掩入了雾中。又是四五步的距离，鲁天柳止住了脚步不再前行。因为她身体所有外露的肌肤同时感觉到，有东西在逼近！逼近的速度虽然不是特别快，但轨迹却是十分怪异的。而且那些东西在呼吸，在生长，在运动，可感觉中却又不像是活的东西。

悄无声息地，两根飞絮帕蛇一样地溜出鲁天柳袖口。不知道为什么，她明明知道马上就会有事情发生，却觉得事情似乎和自己毫不搭界。自己就像是在一个不合适的时间走进了一个不合适的地点一样。而且她还发现，那些渐渐将自己围拥起来的东西，很自然地给她一种遇到朋友、亲戚般的温馨感觉，但是这感觉里包含的东西太多太多了，有无可奈何、无望挣脱、无法呼吸、无处可逃。

一根细丝软软柔柔地搭在鲁天柳的手臂上，并且抖动着、战栗着、蜷曲着、舒展着继续前行，另一根同样的细丝搭上了鲁天柳的裤口，还有一根更为粗大的，带着一前一后两张叶片，如同不对称的一对翅膀，轻轻柔柔地压在鲁天柳的脚背上。

飞絮帕脱手飞了出去，是左手那根，右手那根紧追着飞了出去，帕子头直追前面那根的链子把，并魔术般的缠绕在前一根的链柄处。

“拉一下！”鲁天柳发出的声音并不尖利，也没有太多慌乱。但她的心里已经紧张得几乎窒息。

飞絮帕的球头缠在五郎的刀杆上面，五郎紧握住刀杆，同时也抓住了帕子的链条，他早就丢开了女活尸，空着右手在等呢。

鲁天柳像个人形风筝被放飞了，她几乎是脚不沾地地被关五郎拉出了院子。就这个瞬间，鲁天柳听到了断裂声、惊叫声、惨呼声。

这样的招式是鲁天柳和五郎私下练的，他们已经不止一次用到，最惊险的一次是在金陵城外紫金山，关五郎将鲁天柳拉出白玉蛇窖。而眼前逃过的这一劫比当年的白玉蛇窖要凶险许多许多。

院子里的雾气越来越浓，鲁天柳耳中的簌簌声已经变成了干涩的鬼泣一般，而且是一群鬼的哭泣。

声音大了，就连五郎也听到了，在他听来，那声音更像是几万只蝎子甲虫在翻腾纠缠。

“是魔龙抖甲[1]吗？”五郎傻愣了半天，终于想到一个有点类似的鬼怪故事。

“勿对格，肯定勿对格。”鲁天柳虽然是软软的吴语腔调，语气却是十分坚定的。“是个长得交关（非常）快的物事（东西）哉。”

簌簌声始终没有越过院墙和圆月花门，就好像是有一道透明的屏障

---

1 这是一个民间神话故事，说是天龙下凡，与墨玉潭碧蛟交合，碧蛟得孕，生出魔龙七条。后七条魔龙危害人间涂炭生灵，被王母遣神将捉到天上，压在七星霓霞宫的七根主柱下作为柱座。每过七七四十九天，可允许它们在夜半之时悄悄翻身，松抖一下鳞甲。

将它们阻隔住了。

浓雾来得快，散得也快，鲁天柳很快就看清了院子里的情景。那是铺天盖地的蔓藤枝叶，可是已经开始干枯，藤叶也泛起了焦边。

鲁天柳的耳朵里仿佛听到枝叶为衰老在叹息，为垂死而感慨。不知道为什么，鲁天柳自小就和花花草草特别投缘，在她感觉里，那些植物和动物一样是活的，是一样有惊、有悲、有乐、有惧的。她经常会觉得那些植物在和她交流。她曾经将这种感觉告诉过陆先生，陆先生却笑她，说她是个柳树精，被老爹给捡回来了。

鲁天柳从来没见过这样的植物，但是她听说过。记得在龙虎山的几天里，那些个老道士像是一百年没有人说过话一样，拉着她喋喋不休地说了好几天，说的都是些显摆自己能耐、见识和险遇的事情。就连已经闭关几年的掌教天师和几位祖天师、太祖天师都把她叫了去唠了好一阵子。最后走的那天，掌教叫人送来一帖，上书："且把闲言记心中，他日用时应天数。"帖子写得十分浅白，似乎是害怕鲁天柳看不懂。其实鲁天柳跟着陆先生这么些年，对那些禅语道义还是能看懂许多的，而且有的时候，有些别人无法理解的玄奥禅道，她却能一语道破，好像生来就懂一般。

记得当时，道清殿的吴天师就跟她讲过"一刻生死，阴魂菟丝"的事情。坟头菟丝，不是草，而是藤。不知为什么，只生长在阴气极盛的坟头之上。有人说是怨气所结，也有人说是坟中鬼魂的头发，还有人说是妖魔扑食的触角。这藤生长过程中，可以缠倒墓碑，缠死坟边树木，更有甚者，还将土中棺椁给缠拖出来。

吴老道说的菟丝藤却又和其他地方不一样，他曾经在洪泽湖边芦苇泥沼滩中收红鳞骷髅尸的时候，遇到了一种从生到死只有一刻时辰的菟丝藤。这菟丝藤从红鳞骷髅尸的坟头长出，出土时坟头周围阴寒迷雾一片。由于泥沼滩里坟头的位置、方向容易搞错，所以首当其冲的吴老道走过了这片区域。等他回头赶来，迷雾已经散去，他见到的是血红一片的藤枝藤叶。随他同去的一个师弟、两个师侄、一个向导，还有一个船夫，都被裹在这片菟丝藤中，成了五具干瘪的尸体。菟丝藤吸干了他们的鲜血和体液。但吸干了五个人的菟丝藤也没活多少时间，很快就干枯而死。

鲁天柳不知道自己为什么能这样肯定面前的就是阴魂菟丝藤。虽然这里没有坟头，虽然这样的秀丽园子中不会埋有死尸，虽然她的鼻子没有闻到一点污秽的气息，但她在意识里无比坚定地认为这就是菟丝藤。菟丝藤给她的感觉就像是亲戚老友，也仿佛是前世宿敌，但不管是什么，有一点是很清楚的，刚才要不是反应快，让五郎迅速将自己拉出，她现在也是这片枯藤中的一具干尸。

老友死了，或许说成去酝酿重生更为合适。因为它们的根，它们的种子肯定没死，不定什么时候就卷土重来。

鲁天柳和五郎快速通过这个满是枯藤枝叶的小院子，从对面院墙上一个同样的圆月门洞出去。五郎依旧拖着女活尸没丢掉，因为鲁天柳说了，这东西可能要派用场。

出去后，面前的路又做丁字分岔，他们两人在岔口的地方再次驻足不前。

五郎安静地看着鲁天柳，他是没有主意的人，只好等着鲁天柳作出决定。

鲁天柳抬头看看周围房子的构造，然后又往左右道上各走出五步，清明的三觉对小道过去的方向好好搜寻了一番。搜寻的结果让她茫然，也让她恐惧。

一股阴寒的气息通过她温热的鼻翼直冲脑顶，让她脑顶骨如被寒针刺中，外露皮肤上的汗毛孔猛一收，外露皮肤上的汗毛尖在颤抖，她感觉到那两个方向弥漫着茫茫然的阴寒气，并朝这里包绕过来。如此浓重的阴气一般只有数百年以上的坟地才会有，而数百年的坟地肯定有浓重的污秽气息夹杂在其中。奇怪的是，这阴气中竟然没有一点污秽、霉涩的味道，它是一种清灵爽洁的阴寒之气。

正是这种清灵爽洁的阴气让她感到恐惧，如果真的有些不干净的味道，就她所学的“辟尘”之技和陆先生教授的方术方法，倒也可以对付两把。可是现在他们面前的气息已经超出了人与鬼的概念，那是一种天地自成或者仙道修成的气息。试想，一种自己本身就崇拜和追求的概念，又怎么会有办法去摧毁呢。

让鲁天柳恐惧的还不止于此，她听到朝左方向的阴气中有好多处发出怪响，像是磨牙声，也像是抓挠声，还像是咕咕的呼噜声。而朝右的那个方向传来的是长久不息的嘶嘶声，像是气体喷出的声音。鲁天柳能从这声音里明显听出怨毒和晦涩，这些东西肯定是诡异和阴毒的。可这些情况和现象自己又没闻出来。这是否又和戏楼里一样，两种感觉都正确，两种现象都存在？

鲁天柳突然转身，因为她的清明三觉发现，自己连退路都没有了。就在刚刚闯过的院子里，随着菟丝藤的枯萎收缩，也慢慢升腾起一团同样的阴气，并越出院门向她这里包绕过来。所有情形都在驱促着鲁天柳，必须马上作出决断，选择一个正确的方向。

鲁天柳的心里很紧张，但她的面目表情没有显露出一点点来。关五郎当然不知道现在自己是怎样一个处境，不要说他了，整个院子里都没有一个人能有鲁天柳这样的感受。

“那边应该是正堂天井，瘦老头说的‘尸茧蠨蛸’就在那里。”关五郎难得说话。对于房子的构造和布置他却不比鲁家的任何一个人差，这是他下了一番苦功才有的收获。

“对，那里是正堂天井，我们往那里去。”鲁天柳说完这话，五郎差点以为自己听错了，甚至还以为鲁天柳又是在说反话捉弄自己。自己刚才说话的意图是提醒鲁天柳不能往那边去的，怎么柳儿反做出这样的决定？但他只是嘴角半开了一下，便径直从右边小道向正堂走去。

其实鲁天柳心里真的很感激五郎提醒了她，帮她做了决定。虽然正堂天井那里有“尸茧蠨蛸”，但自己不是带着女活尸吗？枯尸太监说过这女活尸可以收“尸茧蠨蛸”。自己听到那阴气里的嘶嘶声，保不准就是这些“尸茧蠨蛸”发出的。而且还有最重要的一点，自家进来的几个人被分割几处，现在他们都不知在哪里，显然是对家早有准备，设好套子给自家钻。进入的后门肯定已被封口，必须另外备下一个退路。这里是坎子家的园子，要想在这里挣出性命来，就必须懂得反向思维。既然已经没了后门的退路，那说不定占据住正门倒是个好路数。

没走出两步，他们发现斜前方的正堂天井里起风了，风中还裹着大得出奇的雨滴。鲁天柳认识这雨滴，这雨滴是尸茧，她在龙虎山的时候，掌门天师给她看过两只养在罐子里的尸茧。看到尸茧，立刻想到“尸茧蠨蛸”。看来布了“尸茧蠨蛸”的坎面动了，困住的肯定是自家什么人。于是鲁天柳脚下几个飞纵，抢到五郎的前面。只转过一个拐道，就看到了扇形侧门，也看到了“水晶帘子”，还看到了一个正要合身扑上去的血人。

此处有更为浓重的阴气，但也稍稍有一点尸气，尸气是尸茧发出的，可这阴气又是从何而来的呢？

嘶嘶的响动在鲁天柳的耳中已经变成细雨洒叶一般，那个浑身破烂的血人发出的喘息声音如同雷鸣一般，反倒是人为弄成的飙风狂吼没能让她的听觉产生太大反应。清明的三觉就是这样，只对有灵性的东西有很大反应。于是从嘶嘶声她知道那雨滴就是“尸茧蠨蛸”，从雷鸣般的喘息，她知道这个血人就是陆先生。

鲁天柳发出的那声吴语腔调的娇喝，不但制止了陆先生的拼死一扑，而且还让这院子里暗藏的一些高手心头一滞。狂风猛地一停，正厅的几扇花格门叶骤然打开，空中随着狂风飞旋的雨滴瞬间落下，在青石地面上不断地弹跳蹦跃。

陆先生知道来了援手，不用再着急拼死扑击了。本来要冲破雨帘的打算变成了避让雨滴。他左躲右闪，跌跌撞撞，样子非常狼狈，这是因为浑身的伤痛让他的行动难以自如，同时他为防止有其他意外，躲避时坚持在按“六分秤点”的延伸线走。

雨点终于都躲过去了，陆先生一下松了劲道，跌跪在正厅门槛的外面。这一跌，让他浑身像被撕碎了一样疼痛，浓稠的血，涌出了伤口，渗透过棉服，顺衣角滴挂下来。他将被痛苦扭曲了的、被血污和火焰涂抹了的脸艰难地抬起。刹那间，所有丰富的表情都被单一的惊愕所代替。那是因为他看到正堂中央挂着的一幅画。

鲁天柳一直冲进扇形侧门的门口才止住了脚步，她想离得近一点，以便看清这“尸茧蠨蛸”到底是个什么东西。因为她虽然从枯尸太监口中知道女活尸可以对付“尸茧蠨蛸”，可是怎么对付，她却不懂。

就在这一刻，院子里的狂风突然再起，但已不是盘旋，这次鼓风的高手驱动的是单向风势，满地的雨珠在风势推动下碰聚在一起，再次合并成一挂“水晶帘子”，晃悠悠往鲁天柳身上罩盖下来。

女活尸越墙而过，扑落在“水晶帘子”上面。帘子没有散，一个翻转反将女活尸裹在了其中。原来是关五郎见着帘子要罩盖鲁天柳，自己又被鲁天柳挡在身后，急切之间只好将女活尸从墙头上扔了过去。

女活尸被帘子裹得满满当当，地上还有些散落的雨珠也围聚过来，一同附着在女活尸的身上。就连斜下铺设的排水暗槽里也有雨珠倒流而出，快速地往女活尸的身上聚拢过去。飙劲的狂风竟然不能阻止它们，似乎有什么无形的东西已经将它们与女活尸连在一起。

鲁天柳与女活尸离得很近，她能看到那些透明的尸茧中有蓝色的虫影，她能看到尸茧里有一根黑色尖刺穿出，插进女活尸的身体。女活尸的身体迅速变大，就如同充气的气球一般。鲁天柳忙往后退出几步，她生怕这女活尸会爆裂炸开。而晶莹软滑的尸茧都干瘪了，变成两张薄膜套住一只发出蓝幽光泽的虫子。这虫子就是蠨蛸。

《越绝书》[1]：“蠨蛸吐丝极韧，不惧风劲雨暴。”

元《异虫点谱》[2]：“有蠨蛸喜毒秽，入尸茧，吸油吐液，滤尸毒中杂质，其伏尸茧明净如珠……遇死活物，附身尽吐茧液，随后复吸，茧大如轮。”

这“尸茧蠨蛸”，其实就是喜欢吸食人油的一种蜘蛛，它不会织网，只会单根吐丝，但吐的丝能飞射很远，黏附力强且极具韧劲。这就是它们粘结成帘子后能风吹不散的原因，也是劲风不能阻挡它们向女活尸靠拢的原因，都是有那丝连上了。而且这“尸茧蠨蛸”不但自有剧毒，而且还喜欢吸食毒质。它们一般的吸食的方法是先将自己茧子里的毒油注入猎物身体，让猎物麻醉、死亡，等猎物的体液也都变作毒液时，它们再吸入身体注满茧子。

女活尸是“百浸毒尸”，本身的体液就含有剧毒。所以“尸茧蠨蛸”刚将毒液注入尸身后，马上就开始往回吸了。

女活尸又迅速瘪瘦下去，尸液很快就注满了一个个尸茧；女活尸越来越瘪，尸茧越来越大，就像是一只只黄皮香瓜。是的，是黄皮香瓜，因为这时它们吸入的尸液是浑浊的，它们要经过多次吐吸过滤后，茧子才会重新变得晶莹透明，而且要多次将无用的水分杂质排出后，茧子才会变作原来的大小。唯一不同的是，从现在开始，它们的毒性又成倍增

---

1 不知出自何朝何人之手，最初为碑刻，记录的都是古时越地的奇闻怪事。后碑碎，只遗碑拓。再后来碑拓破损，只能抄录成书册。至今仍有手抄残本存世，品相好的价值极高。

2 元代山东地界一个叫康悦松的人所著。此书最初应该是专门收录蟋蟀的蟋蟀谱。因为它的前面有一半都是描述的各种蟋蟀的特点和饲喂方法，后面一半才陆续有其他怪虫收录其中。台北博物馆有此书籍的元代版。

加。它们不止是不能碰，就是用器械杀死它们，也要当心茧子里的毒液溅出。这毒液成分已经极为复杂，没人知道该用什么药物来解。

女活尸已经变得比枯尸太监还要枯瘦。胀大了几倍的“尸茧蠨蛸”也暂时失去了攻击的能力，它们粘连成一大长串，慢悠悠地往排水暗槽里滚去。无法驱用的“尸茧蠨蛸”归了坎位，那风也就只得停住。

惊愕跪跌在正厅门口的陆先生突然被一阵震动惊觉过来，震动来自身体下面的青石板。那青石板不止是震动着，好像还微微有下陷的趋势。这又是什么恐怖的坎面？

一种比死亡更可怕的恐惧感觉从陆先生头顶直窜到脚底，他赶忙爬起身来，跌撞着往扇形侧面跑去，可刚走出两步，就又摔倒，于是他手足并用着往侧门爬去。

爬行的过程中，他看到关五郎想来帮他，就赶紧又是摇手、又是高呼地制止五郎过来，因为他现在的感觉就好像是在一个沼泽泥潭的上面，两个人的重量很可能会就此陷落下去。

五郎停住了脚步，他是从陆先生摇晃的手臂上看出来他不让自己过去的，陆先生大张着嘴，可是却没有发出一点声音。

鲁天柳根本没看陆先生，更没对五郎的动作有一点反应，她有些木讷地站在院门口，半闭着眼睛，像在聆听，更像在吐纳运气。

陆先生也意识到自己发不出声音了，但现在不是关心这个问题的时候，只想着尽快从这地方爬出去。他匍匐在地，四肢叉张着往前爬行，样子有点像海龟。

陆先生终于离鲁天柳和五郎不到一步了，他的手尽量往前伸着，期望谁拉他一把，或者能一下抓住谁的脚脖子。

鲁天柳没理会陆先生，样子依旧像在做梦。五郎弯腰伸手，想要将陆先生拉起。鲁天柳却从忘我的三觉状态中惊醒，神情异常紧张。醒来做的第一件事就是拉住五郎，往院门外面一下子退出了十多步。

陆先生的手在快要触摸到五郎的刹那僵住了，眼睛死鱼般盯住身体下的石头地面，连大气都不敢出。好一会儿，真的过了好一会儿，他才慢慢抬起头来，将一双原来盯着地面的眼睛望向鲁天柳。鲁天柳也正在看着他，两双眼睛就这样无声地交流着。

慢慢地，陆先生抬举着的手臂落了下来，轻轻地落在石头地边上，然后极轻极轻地往前挪动身体，但他的视线却没有改变方向，一直那么死死地看着鲁天柳的眼睛。

关五郎想要去帮陆先生，他是个实心眼的人，这个朝夕相处的山羊胡子老头对自己和鲁天柳不错，跟一家人似的。现在眼见着他血肉模糊地在那里挣扎爬行，自己不去帮把手，那也太说不过去了。今天的鲁天柳是怎么了？她不是和陆先生最谈得来吗？怎么这样无动于衷？

五郎刚想再往陆先生那里迈步，可鲁天柳的手紧紧拖住他的上臂，并且将头移到他耳边，很轻很轻地说了一句话“别动也别出声。”说这话的时候，鲁天柳的眼睛依旧是与陆先生对视交流着。

这句话让五郎很是心惊，因为这次鲁天柳没说吴语，她说的是字正腔圆的北腔官话。柳儿平常和自家人从不说官话，只有在一种情形下，她才和自家人用正宗北腔说话，那就是在情况万分危急的时候，因为她怕这时用吴语会产生误会，也怕对方一时听不清楚，误了时机。

可面前的情形，五郎一点都没看出有什么危险可言。于是他稍稍扭头关切地看了看鲁天柳，心里说：没什么呀，这么紧张，别是中邪了。

陆先生现在的爬行已不像海龟了，而是像蜗牛了。他一点一点地往前挪动，尽量不发出声响。而且是蜿蜒曲折着朝着他们这边过来。

陆先生终于在鲁天柳和五郎的搀扶下站了起来，这样的挪动爬行很费体力，况且他现在浑身伤痛，失血过多，一双腿软得都站不住，幸亏是关五郎给他架着。

陆先生的眼里满是泪花，很激动。他是个感情丰富的人，要不然他也不会对一个只有一夜缘分的女人魂牵梦绕了二十多年，为这个女人一个吩咐在鲁家为客二十载。可是不知道为什么，他今天终于见到藏在心里二十多年的那个女人，却没什么兴奋与冲动，倒是这双和自己朝夕相处的小儿女，才分开一个多时辰，倒有了生死别离的激动和感慨。

他的激动主要还是由于见到这双儿女无恙，这样自己多少可以对鲁家的知遇之恩有点交代了，也可以对自己的行为减轻一点负罪感。

激动的同时，他还有挥之不去的恐惧，而且不知什么原因，连话都说不出来了。死封铃为了爬行时不发出异响，留在前厅天井里了。他抓着的一把竹签倒是没丢，于是颤抖着手，夹起一支竹签，在碎石小道旁边的泥地上写下歪扭的三个字："驭龙格。"

鲁天柳眉头一锁，悄声问道："那个青石地面下是阴世魔龙？"

陆先生又歪扭着写下："不晓得。"

"哪能办（怎么办）？"鲁天柳又问道。

陆先生的手抖得没那么厉害了，在泥地上画写的字也开始变得遒劲："寻龙颔，夺龙珠！"

## 观明阁

鲁恩立刻意识到自己遇到的高手一个胜过一个。守住过廊的这个又是个少见的高手，自己在他手下根本过不了三招。可是对手没有下杀手，只是打掉自己的刀，将自己的招式全封住，进退路都堵死，只留下可往池塘去的路径。

鲁恩现在已经知道池塘的可怕，这样被逼着过去，一定是个很惨的结局。结局是什么样？他不知道。至于有多惨，刚才刀人不顾性命的惊叫和比死还恐惧的目光已经很清晰明白地告诉了他。

鲁恩手中已经无刀，对家高手也无刀。高手虽然手中无刀，可是他的一双手脚如锤如刀，无刀的鲁恩越发无法抵挡。

虽然鲁恩左手持着的鱼皮护套舞得如同风车一般，可是对手硬是从这风车的间隙里伸进手来，指尖在鲁恩的虎口处轻轻一敲，那软鞭似的护套顿时变作死蛇，翻转着摔落到过廊外面。

锤刀一样的双手狂风般砍砸过来，健鹿般的脚步左蹿右跳。鲁恩敌不过这样的攻势，也绕不过这样的步法。连续几步退让，人已经到画舫过廊的栏座上面。

那高手突然跃起，手脚齐出。这招之下，鲁恩肯定是会合身摔在池塘边的草地上了。

可是鲁恩已经预料到这一点，预料到了如果仍然中招，那是不懂技击的人才会犯的错误。所以在高手作势还未跃起的瞬间，他就已经抢先跃出。不过在对家高手招式封堵下，他可选择的方向并不多，基本都是往过廊外面去的，所以他往过廊前段躲闪。

鲁恩纵身由廊外绕过钉着砍刀的廊柱，到了过廊的前一个间隔。身形下落的刹那，他的右手一把抓住那个间隔的上檐花格框，将自己身体悬吊在空中。

是的，他用的是右手。是因为他的身体面朝过廊里侧，身体绕过廊柱后，侧身向前跃出只能用右手抓住花格框悬吊，那只破“无影三重罩”时受伤脱臼的右手。

右手抓住，身体吊住，侧向前纵，于是身体旋转摆起。“嘎嘣”，这是骨骼转动复位的声音。鲁恩发出一声简短的惨叫，松开右手，身体正好摆回，如同一个大米袋重重地横砸在他刚刚绕过的廊柱上面，整个过廊被撞得一阵抖动。

拦阻的高手跃起击空，便收势停身，稳稳地站在了过廊的栏座上。他稍稍侧身，正好看到鲁恩摔落在地。高手刚才一直在暗处看着鲁恩破坎杀扣，鲁恩身体哪里受伤、哪里是弱点，他都非常清楚。所以一眼就看出他如此的狼狈和痛苦是由于慌乱无措中用了受伤的手，于是他在期待鲁恩由于慌乱无措再出昏招，让自己轻松将他扔出过廊。

鲁恩面部表情极度痛苦，他腿脚艰难地站起，速度虽然不慢，但能看出，疼痛让他的动作变形得很严重，刚一站起，左手就以单掌剑形，对着栏座上的高手腹部直击过去。

按理说，鲁恩目前最合理的做法应该是继续往过廊前段躲避，调整好状态再坚持在过廊里缠斗，可是他竟然在摔得晕头转向的时候反向高手进攻。这正合高手所愿，他双手将鲁恩左手一个缠绕，再使个双鞭提甩，鲁恩的身体便直飞出过廊，身后带起一溜儿飞起的血珠。

像鲁恩这样在战场拼死血斗过的士兵，越是劣境，越是绝处，头脑就越是清醒。他跃出时就已经算好右手抓握的角度，借助身体吊起后扭摆之力，瞬间已将他脱臼的手腕复了位。身体重重摔出撞在廊柱上，是用这样的方法震动那钉着砍刀的廊柱，松松廊柱咬住砍刀的力量。

鲁恩单掌击出，正遂高手所愿；高手将他提甩而出，正遂鲁恩所愿。身体飞出的同时，鲁恩的右手已经坚定地握住了自己那把乌青厚背砍刀，并轻巧地将它从廊柱上拖出。刀已在手，他没有劈，没有剁，没有砍，只是借着高手将他抛甩出的力量，将砍刀刃口轻轻在高手的项颈边带过。

高手到死都没明白鲁恩的右手什么时候又能握刀了，也没明白他的右手什么时候有刀了。他们两个是一起摔出过廊的，高手虽然摔出去没有多远，但他再也没有站起来的机会了。而远远摔出的鲁恩立刻一个翻滚重新站起，返身冲跃入画舫过廊，鲁盛义紧随其后，两人一同冲到了小楼的门前。

鲁恩经过过廊时，顺手将地上的背筐拎在手上。他没在观明阁前停留，而是从沿水栏道直接走到小楼的前面，站在石头平台上面，警惕地环视着周围的一切，特别是那怪物跃入的墨绿池水。

鲁盛义衔住刻刀，双手食指迅速扭动，解开了小门上的“狗尾双蝠扣”，然后轻轻一推，小门悄无声息地打开。看来这门是经常开合的，要不然那门枢不会摩擦得如此光滑。此时鲁盛义与鲁恩形成了一前一后、一内一外相呼应的状态。

鲁盛义打开小楼门后，没有马上进到屋里，而是从木提箱里拿出一个圆球，轻轻地放在地上。这是一只鲁家“定基”一工用的“循坡球”，是瓷土烧制，外圆中空的，球的里面灌有水银。这球放在地面上，会随着地面肉眼看不出的坡度滚动。

“循坡球”在陈旧的木板地面上缓缓滚动着，从靠门这一侧的墙壁边一直滚到屋子中间的太师椅边。鲁盛义心中判断，这样的一个滚动痕迹不是坎相，而应该是经常有人从门口走到太师椅那里，这样才会出现这样一个被踩陷和磨损的轨迹。

坎面是不会有人经常踩的，除非是人为地将它做得低陷下去，那就是坎子行里所谓的“金钩倒挂”，也有叫“请君入瓮坎”的。

鲁盛义很小心地蹲下看了看木板地面，这木板地面已经非常陈旧，而且是真正天长日久才会造成的陈旧，不是做出来的，可以排除“金钩倒挂”的可能。即便如此，他还是提着万分的小心，循着“循坡球”滚动的轨迹往太师椅那里走了过去。

“循坡球”停在太师椅下面，也说明这张椅子的下面是最低的低凹处，这情形只有经常有人坐的椅子才会出现。

鲁盛义想都没想，他也在这椅子上面坐下了。他想知道经常坐在这椅子上的人在看些什么。

这个位置只能看到部分水面和池塘边沿，院子里其他的景象就算看到点也看不清楚。观察了一会儿，鲁盛义就弯腰将椅子下的“循坡球”捡起，在椅子前一步左右再次放下。球原地绕了个圈，便朝着通往石头平台的花格玻璃小门滚了过去。

鲁盛义跟在球的后面，他先在“循坡球”绕圈的地方站了一会儿，然后便也朝着小门走去。小门是虚掩的，鲁盛义再次捡起了“循坡球”，伸手轻轻拉开小门走上石头平台。

鲁恩正站在平台上，他已经不再警惕地查看周围的情形，而是仔细地打量小门两侧立柱上悬挂的对联立匾，目光和神情非常地投入。

对联立匾上的字是用嵌贝工艺做成的，每个字都散发着贝壳的幽幽光泽。内容很直白简单，上联写的是：“捧水洗玉藕”，下联是：“提竹拨金莲”。

鲁盛义见到这对联不由一愣，虽然只有十个字，其中却似乎隐含着些什么。

鲁盛义还没想出什么，就听鲁恩喃喃念叨了一声：“观明阁。”顺着鲁恩的目光望去，正是二层的匾额。鲁恩微皱的眉头突然一展，然后快步走进了小楼。他没有像鲁盛义那样小心翼翼地循可行的轨迹走动，他好像早就知道这楼里没有坎面，直接快步奔上二楼。

对鲁恩的行动，鲁盛义没有表示出一点讶异，也没有跟在鲁恩的背后，而是慢慢蹲下身来，往池塘的水面瞄去。

“捧水洗玉藕，提竹拨金莲。”这应该是夏日的景象，他在思考，他在遐想。仿佛自己重新坐在刚才的太师椅上，池塘里是荷叶莲蓬一片，几个窈窕女子赤足挽袖，在石台边洗藕剥莲。

不对，如果是在石台边，此处也是铺满厚厚莲叶，如何可以捧起水来？这捧的点儿不是在石台前面。

鲁盛义抬头往池塘的东侧看去，那里有“无影三重罩”人坎的尸体。人坎死后又遭红色火球烧灼，现在半焦的尸体倒在水中，身体有一半浮出水面。这是不该有的现象，除非水下有什么东西托撑着。

会是什么呢？这水底除了自己看到的那个诡异恐怖的落水鬼外还有些什么呢？

鲁恩直奔二楼，他果然没有踩到坎面。只是在要登上二楼的时候，他放慢了脚步，并将背筐护在前胸。这是害怕二楼有埋伏，因为那里曾出现过鬼魅般的面具女人，并对他发射鬼火般的暗青子进行攻击。

鲁恩的头往上稍一探就又缩回，就这一瞬间他已经将整个二层楼面都看清楚了，上面没有人。

鲁恩走到楼上，这里果然空荡荡的，却也并不是什么都没有。整个层面只有一件家具，一件明式的红木睡榻。这件家具的存在是鲁恩意料之中的，因为只有从这里可以找到他想得到的线索。

鲁恩将二层所有的窗棂都打开，然后他盘腿坐在了睡榻之上。

姑苏的园林中有种建筑形式叫“俯月”，就是在一个恰好的位置修一座楼，或者亭，或者轩，结构四面通畅，作赏月之用，正所谓

“清风明月不须一钱买”。可为何要叫做“俯月”呢？因为赏月时不须仰首望天，那样脖子会很累。在这里赏的不是天上之月，而是水中之月。建筑布置得恰到好处，可以定神安坐微微俯首就看到附近水面倒映的明月。

这里是“观明阁”，却不知道是不是说日月均可赏，抑或是有其他意思，但不管它是什么意思，鲁恩的心里却很清楚自己要观的是什么。

鲁恩在榻上稍稍移动了一点位置，他原来坐的地方没有发现什么异样，但他却始终没离开睡榻，他坚信自己的判断是正确的。因为他读懂了“捧水洗玉藕，提竹拨金莲”这副对联，这虽然描绘的是采莲藕的情景，其实暗喻的是男女房中之事。边做房事边赏日月，能在何处？只能在这“观明阁”的睡榻之上。

鲁盛义也读懂了对联，上联中捧水，得“水”；玉藕，玉为石，石属土，得“土”。下联中提竹，竹属木，得“木”；金莲，得“金”。这副对联中有金、木、水、土，唯缺火，而这对联描绘的情景中这四行不离这池塘，是不是池塘之中暗藏有“火”？

“观明阁。”鲁盛义仿佛又听到鲁恩喃喃的声音，对呀，得火则明，观到明，便得到火，对家曾经不就是借火得明的吗？

那两具被烧得焦黑的人坎尸体怎么不沉下去，这水下肯定还有固架封罩，虽然这池塘面大了些，封罩做起来很难想象，可是对家这样的家世实力，又有什么事情不可能。这封罩不会是死封罩，应该有口子，不然他们怎么观得到明，取得到火？

口子在哪里？应该在刚才落水鬼下水的地方，也就是池塘布满莲荷之后可以捧水的边缘。鲁盛义知道口子在哪个点，因为他刚才看到了落水鬼下水的位置。

鲁恩没看到落水鬼下水，那个时候他正跪着爬着呕吐呢。他也不一定知道水面下有封罩，但他现在也知道了水里有个口子在，他比鲁盛义更清楚准确地看到了那口子。

他终于找到一个恰当的位置，其实他是换了一个方向，他从榻尾朝向榻头，这是一对男女在这榻上交欢时应该有的方向和角度。于是，他眼角的余光看到了月，也看到了日，日月就是明。

在深绿的水面下有个弯月形，这弯月比深绿色的水颜色还要深许多，猛一看会以为是个黑色月亮。鲁恩知道，月亮如此深邃的颜色，且不说包含了其他什么，首先此范围的水深就是非常可怕的。在月亮的中间恍惚还有个白色的圆形，这大概就是藏在月亮里的太阳吧。

鲁恩从二楼迅速下到石头平台上面查看，可在这个角度反倒看不到那些日月星辰了，但是他记得位置，眼睛死死地盯着那个方向，而鲁盛义也盯着同一个方向。

鲁盛义知道那个地方有火和落水鬼，那两样一个是他此行想要得到的，一个却是他这辈子都不想再见到的。而且从种种迹象看，这池塘下肯定布置多种奇凶坎面。特别是这池塘中的颜色深暗的水，看着就发憷、发晕，他曾经就在这样能见度很低的水面下碰到过“百婴壁”。

鲁恩也知道，如果得到的信息不错，如果自己的判断分析正确，那里也有他想要的东西。但他也很清楚东西不是随便可以得到的，水中有让他难以应付的坎面和怪物。虽然他没有见到落水鬼的模样，但是他曾很短距离里感受到那怪物的恐怖和恶心。

两个人都没有说话，就像石台上多出的两根石柱一样。池水很平静，园子很寂静，平台上的两人很安静。听得见小北风“飕飕”地拨动树枝，划动水面。一片枯黄的树叶从岸边很高的树梢掉落，翻滚着、旋转着，从站立着的这两个人的视线中飘过，轻盈而无奈地砸在墨绿的水面上。

“咔嘣!”这一砸，砸出一声巨响，如同是封江的冰面突然裂开，如同是百丈悬崖上的冰挂突然断下。

“轰轰哗哗！”池塘水面下的月亮形口子处水花翻涌，冲腾起一米多高桌面粗细的大水柱。

鲁盛义和鲁恩都惊呆了，这片枯叶会有这样巨大的威力？

# 第六章　神秘的姑苏水坟，神秘的水猴子

鲁天柳见过移茔，那是在云南独龙江边，那里有些民族依旧用水葬的方法。用原木搭建一座矮小屋形的筏子，将死者放入其中，随急流而走……说是风水学中有将上辈先人坟茔安置重宝后没入水中，以期后代能发达。这一般都必须是具天龙命相、灵龟命相、神鲤命相的先人祖辈……特别是具天龙命相的，那一般是皇家正统血脉。如果采用这样的葬法就只可能是蒙难失势之龙，流落在江湖民间的皇家血脉，而且还是存有某种目的，必须隐匿踪迹不能为人所知。

## 驭龙格

陆先生揉了揉模糊的眼睛，刚才他的几次擦拭已经将蒙住眼睛的血渍和烟熏火烤的污渍都清除掉了，但他现在依旧觉得视线朦胧，眼神不聚。这也难怪，这么把年纪，又是个从不动拳脚的人，如此这番浴血惊魂，拼死斗杀，不管是体力上还是精力上都很难承受。

眼睛稍稍能看清以后，他翘首往四周仔细查看起来，这地方他刚才虽然走过，可那是在追赶青色身影，根本不可能仔细查看周围环境。现在仔细一瞧，他更加肯定自己的判断了。于是用手中竹签先指指小道的另一端，然后在地上又写下“盘龙道”三个字。

鲁天柳对陆先生的学问了解得最多。如果鲁天柳“辟尘”一工的技艺算家学的话，那陆先生其实可以称得上她真正意义上的师父。她刚才见到“驭龙格”三个字的时候，尚有一些疑惑，觉得陆先生可能看错了。因为老爹告诉过她对家的身份来历，这种背景的人家怎么都不应该布下驭龙格局，可等陆先生又写下“盘龙道”时，她至少可以肯定他的思维是清晰的。像陆先生这样研究了一辈子风水的人，不会在风水布局上连错两次，而对家如果是乱局相、实伏坎的话，也不会在这“驭龙格”上连用两次。何况对家的背景身世怎么都应该对这“盘龙为道踩足下”的布法忌讳才是呀。

鲁天柳闭上眼睛凝神静气，这一下她更吃惊了，阴气已经将整个宅院笼罩，而且在这不断升腾的阴气里又多出了些水气，她的清明三觉能感受到极细的水珠颗粒在飘移撞击，并且黏附在他们的身上。莫非真是个阴世魔龙在吐纳喘息？

“哗——”“啊！”忘我状态的鲁天柳被溅起的水花声和人的惊呼声惊醒，这声音来自前院那边。他们三个同时回头往天井那边看去，天井里没有什么变化，还是那么平静。他们三人相互看了一眼，这一眼证明他们都没听错。

“快！”陆先生的字写得龙飞凤舞，关五郎肯定是看不懂。鲁天柳看得懂，却不知道是什么意思，是快点逃走还是快点行动？

陆先生已经来不及解释了，他迈步就往“盘龙道”那边走去。他的步法蹒跚，速度却是不慢。一时没反应过来的五郎紧赶两步才追到他的身后。鲁天柳走在最后，陆先生走后，她没急着走，而是站在原地又深呼吸了两下，这样的深呼吸牵动耳郭也微动了一下。鲁天柳做完这些才转身跟上来。而所作这些得到的结果告诉她，要想将正门那边作为自家人的退出之路已经不可能了。

其实刚才陆先生趴在青石板上的时候，鲁天柳就已经听到地面下传来了怪异响动，这怪响本来是在岔路口的另一侧出现的，可是也不知道为什么，竟然会一路钻到天井下面，并且陆先生爬到哪里，这声音追到哪里，所以她才努力用目光引导陆先生尽量躲避那充满怨毒和仇恨的声音，蜿蜒爬出。刚才她再次敛神听了一下，天井那边的一个怪声已经变成一片怪声，其中好像还夹杂有人拼死挣扎的声音。

陆先生走得很快，是因为他不想在那里再待下去了，趴在石头地面上的时候，他有一种陷在沼泽中垂死挣扎的感觉，青石面好像在往下陷。他也感觉到地面下怪异的响动，似乎是地狱的什么冤魂要破土而出。他能感觉到的鲁天柳肯定也能感觉到，所以当鲁天柳拉着五郎跑开时，他一点都没有惊讶，反倒担心他们过来救助他时，身下的石面会承受不住，带着他们一起坠入阿鼻地狱。

陆先生至此仍不清楚自己到底面对的是什么样的对手，恐惧和担忧让他觉得心力不济，胸口憋堵的气息用大换气法都无法调节过来。在这样的环境里，在种种遭遇和打击下，他不止是体力够不上，连脑力也很难支撑。

刚才在正厅门口，厅门打开后他看到供奉的中堂画竟然是一幅“异士屠龙”，对家的渊源肯定比别人告知的和自己想象的还要高深莫测。于是他联想到宅院门口河道上的拱桥，桥头两边入房群后无连接路，格局上应该是“驾龙鞍”；还有后花园单独的那座戏楼，无前后房相叠，只有过廊相连，应该是“定龙锁”。这两点进一步确定了他的判断：这所宅园子不是“潜龙格”，而是千年难见的“驭龙格”。

陆先生的恐惧是因为他知道，在这样的园子里，生和死都会是痛苦和可怕的事情。可是他还必须在两个晚辈面前掩饰这种恐惧，这样才能保证他们不会丧失求生的信心，这也正是他心中担忧的。他之所以抢在第一个走，就是怕自己万一有什么失态被两个晚辈看到。

“盘龙道”，龙尾在外，龙头在里，龙脊在上，龙爪在前。可是面前出现的这道长长的起伏院墙是什么呢？

院墙上没有门，只有一个接一个不同造型的花窗，是用弧片小瓦做的花格。围墙与盘龙道之间没有花圃，没有树木，只有狭长的一大片的草地，已经枯黄了的细密草地。这片草地往东有个圆月门，是在院墙上引出的一段隔墙之上，黑色的门扇紧闭着。往西没有路了，那边被院墙围绕起来。靠西边院墙处有一座六角亭子，红柱、红梁、红椽格，金色的琉璃瓦。鲁天柳能隐约看见亭子的横梁、檐挂上面描绘着绚丽斑斓的彩画。

“院墙是龙骨！”鲁天柳虽然脱口而出，其实心中犹自在猜疑，没有十分的把握。

陆先生的脸上露出惊异和惊喜的表情，他知道带鲁天柳上龙虎山的那七天里，几位天师都没说错，这丫头非同凡人，其灵性和三觉有仙家之能。掌教天师给他的那本《玄觉》，他却为了一个今天让自己跪着叫太后的女人，昧心藏私，一直都没给鲁天柳讲过。想想真是对不住这丫头，现在后悔也晚了。

鲁天柳走到院墙的一个花窗前面，往院墙那边看去。那边也有一条石路，路的旁边没有草地，只有树木。而且树木都在石路的另一边，种植得很密很密。

鲁天柳闭上眼睛，她能听到湿重的阴气从那些树木背后一层层升腾起来，就像沉稳的心跳声一样。她还闻到了味道，很好闻的桂花油香味，又像是玫瑰露的香味，慢慢朝她这里飘来。

这香味儿是“百花蕊馥”，杭州“天字品女荣堂”的看家香料。

鲁天柳缓缓睁开眼睛，她看到一张戴着金色狸子面具的女人脸，这脸紧贴着院墙的瓦片花窗，离她很近。面具上的眼睛充满怨毒和愤怒，面具下面的嘴巴虽然抿得薄薄的，牙关却是咬得紧紧地，瘦削的腮帮上的肌肉咬得一棱一棱的，恨恨的样子就像要从花窗瓦片的空隙里钻过来咬鲁天柳一口。

突然出现的女人脸让鲁天柳心中一阵狂跳，脖颈处肌筋绷紧，一口气憋住久久没有吐出。但她面部的表情没有一丝的变化，身体倒是动了，一步一步平稳地往后退去，直至退到石头路面上，站在陆先生的身边。整个后退的过程她的眼睛也一直盯视着面具女人，目光中蕴含的冲击力不但没有随着身体后退，反显得越发炽盛。

带着狸子面具的女人站在龙骨墙的外面，她看着墙另一面站着的三个人，心中像长出一团乱丝，纠缠盘绕着直搅到脑子里。其中特别是那年轻女子的目光，让她觉得这些乱丝已将她的心脏缠住，并打了个活结，此时正在慢慢地用力、收紧。

她心中的确难受，首先没想到陆先生竟然进到了这里，前面的几方布局肯定都给他踩豁了，她也没想到陆先生的身旁会多出两个年轻人，这说明自己精心设置特意用来对付鲁家的布局豁了不止一处。如果只是这么几个布局豁了也就算了，因为这里毕竟不是专门布局困敌的场所，这里是专门用来困那条龙的。可是困人也好困龙也罢，园子中都不该如此嘈乱，局面开始变得有些难以控制了。

昨晚，从北方连站飞鸽，送来书信，说北平的四合院被破，鲁家一个年轻高手取走了暗藏的宝贝。于是皇上，不，现在还不能叫皇上，其实在这园子里自己一直还是叫他儿子，手下也都只是叫门长，他尽起园中和周边精英高手往北进发了。临走时飞鸽传书让南面三江堂和宁海堂调高手来护园子。因为园子里最近不太平，先后进来过几个人，也不知鲁家的还是墨家的，还没等下困字令，就已经被杀坎、人扣给灭了。

戴金色面具的女人知道鲁家在江南一带没几个人，也差不多摸清了他们的手段底细，因为她在鲁家下了根暗钉——陆先生。为了防止鲁家趁着园子空虚突然动手，自己会措手不及，索性先下手为强。她命人将园中数个局摆活，并且还多加了一些套子，然后让陆先生将鲁家人引入园子，准备来个一勺全抄，绝了后患。虽然她也知道局中动弦的老手都被儿子带走了，但自己估摸用来对付鲁家在江南这一处的那几个人，应该还是绰绰有余的。

陆先生倒戈，她没想到，可也没放在心上。当年她仔细研究了一下这个人，投其所好成为他的知己，虽然只有一夜之交，却很划算地控制了他二十年。按以往所知，这个人的性格和本事都不会造成大的威胁。还有鲁家的另外几个人，按照陆先生反馈，他们的能耐最多也就是做到脱身而出，绝无颠倒局相解锁放龙的可能。

可是现在，她不知道为什么会变成这样。鲁家的人到底从何处借来的神通，那锁住的死龙竟然动了龙气。水下异常，连落水鬼都上岸了。前面正门正厅处的形势也不知道怎么样了，始终没有暗号发出。这些没用的，像是全死了似的，现在连陆先生都已经到了龙骨墙了，仍没有暗号发出，说不定还就真是全死了！

墙内的三个人开始移动了，意图真的很明显，目标很明确。他们是看破了此地的局相，要前往龙首方向而去，找到窍要，施展手段，将整个局相都给颠覆了。

女人在墙的另一边和鲁天柳他们三个同步移动，边移动边从怀里掏出一个响哨，甩手抛在空中，哨响尖利刺耳。

靠近西边龙骨墙的六角亭上落下了六根“横梁”，红色的绘画横梁。“横梁”横着落下却是竖直着地的，脚刚着地，就立刻快速跑动起来，往鲁天柳他们三个这里围追过来。

这六根“横梁”动作非常轻盈，就如同六只轻巧的狸猫，可他们不是横梁，也不是狸猫，他们是人，是杀手。每个人的手中都握着一对匕首，尖尖的，细细的，弯弯的，像女戏子在台上描的弯眉。六个人的动作是一致的，前后是有序的，他们的相互间组合成一个菱形，锋芒犀利的菱形。

“天菱开壁”，奇门遁甲阵法中的第五十五局，古时战场上用于小股军队对大部军队的突袭突破，这天菱有六角，可以将任意一角作为菱尖冲杀。冲杀中随时可以改换菱尖，变换攻击方向，使得进退自如，指哪儿打哪儿。而在这里，这个杀局叫做“六菱冲围变”，这是因为它不止可以对人群进行冲杀，当对手人少的时候，还可以以菱尖成队攻杀，或者拉开六菱，将对手围在中间，进行六面的合杀。

关五郎转身提刀要迎上去，却被陆先生一把拉住。陆先生也没多说话，只是拉着五郎快步离开石头铺就的“盘龙道”，走上了路边的那一片枯黄的细密草地。鲁天柳本来是跟在他们后面的，却是先他们一步走上草地，因为鲁天柳有很好的轻身功夫和清明的眼力。

犀利的六菱已经离他们没有几步远了，走上草地的陆先生反倒停了下来。他迅捷地转身，将右手的那支竹签插在了地上，然后从左手中再抽一支插下。速度很快，但动作不是太潇洒，撅着屁股弯着腰，就像是开春时，在水稻田里插秧一样。

这竹签插下的顺序排列倒不是像插秧那样整齐美观，有些七零八落，有些歪歪扭扭，间距也远近不同。

六菱的菱尖首先赶到，他看到地上的竹签时已经收不住脚步，因为他只要一停步，后面的阵形就要撞上来。幸亏这样低矮的竹签他只需要稍稍纵步就可以跨过。而竹签林中也有许多可落脚的空隙。“菱尖”看准了一个较大的空隙，纵步跨了过去。

落下脚步时，他突然发现不对了，跑动中看到的竹签位置和竹签的实际位置不一样，而且竹签尖儿的指向也不一样，但是晚了，一根竹签已经确切真实地刺进了他的脚底。

“菱尖”的反应很快，他的动作变了，受伤的脚稍稍一踮，继续用没受伤的脚用力，身体往前扑出。他想尽全力从这片竹签上跃过。

虽然只是单脚，纵越的距离却不短，眼见着“菱尖”的身体轻巧巧就完全越过了竹签阵。可是他依旧没有落脚点，因为关五郎正持刀在那里等着。

同样遭遇的还不止“菱尖”，后面并排的两个，再后面并排的两个，都踩中竹签，他们的步法动作都是一致的，面对变故的应对方法也是一样的。同样扑出，同样想越过竹签阵。

这让关五郎很省事，他的“圈儿刀”只快速地旋转了两圈，地上就倒下四根“横梁”，和他们原先在亭子上时一样无声无息，色彩却是更加艳红绚丽。只有一个“横梁”看着自己断落在地的一只手臂和一只小腿惊恐地惨呼着。唯一一个没事的是最后面的“菱尖”，他恰好能在竹签阵前收住脚步，但面前这瞬间出现的情景，让他也和在亭子上做横梁时一样，一动不动，毫无声息。所不同的是他站着，这更像立柱而不是横梁。

“乱枝撕风”，奇门遁甲第二十四局。在切金断玉派的风水术语中叫“植林碎风护气运”，就是在风口风道的前面按九星八门方位种植树木，要生死门互通，九星位互连，挡风掩气，滤秽输清，以保证所选宅址的风水不被劲风所破，家门气运清爽连绵。

但是此招要用在阵法上，却有风动枝摇、动静不定、影物同一、虚实不辨的奇妙功效，当年宋朝大将狄青摆“风林阵”破大南国驱兽军，这“风林阵”就是从这“乱枝撕风”而来。

正如那些横梁模样的人坎见到的一样，明明看着竹签在那里，可是踩下去的时候，却发现和看到的不是一回事。为什么？因为他们在快速跑动，如果他们是缓步走过去，肯定可以轻松地从竹签的间隙穿过。

对家取奇门遁甲术中的精华，训练了这样一个“六菱冲围”的高明人坎。启动起来像平地风，行动起来像草头风，攻杀起来像龙卷风。可是他们没想到，他们今天面对的是个一辈子研究奇门遁甲术的行家，以解风水破败恶险为乐的高手。

墙外戴狸子面具的女人看到了全部的经过，她松开了咬紧的牙关，嘴巴变作了半开状。这样的表情很复杂，有惊讶，有诧异，有后悔，有无奈。她到今天才知道，自己以为全盘掌握的事情其实有太多无法预控的成分，自己以为全然了解的人会给自己无法承受的意外。

关五郎没有继续追杀最后一个人坎，因为他并不是嗜血的杀手，他只是个想保命的工匠。其实也不用追杀，那个人扣已经被自己同伴瞬间出现的状况吓得失去了攻击的能力，也失去了思考的能力。这就是这园子里人扣最大的缺陷，他们只见得别人流血，却见不得自己流血。本来一个犀利的组合，一下子废掉了五个，他害怕了，他恐惧了，就像是一个人看到自己的手脚被砍落在地的时候，他最怕的是继续失去自己的生命，因为这是他仅存的价值。

鲁天柳他们三个人平静地往关紧的黑色圆月门走去，关五郎意气风发地提刀断后，刚才那一杀，让他觉得自己英勇无比、豪气万丈，狠吐了口闷气。墙外的面具女人没有再与他们同步移动，呆立在那里的人坎也没有移动，就这样呆立无声地看着他们三个。

到了黑色圆月门口，鲁天柳和陆先生偷偷吁出一口气。其实他们的心中非常紧张，如果面具女人再唤出这样一个人坎组合，他们就没有机会了。就算面具女人那里已经没有人坎可出了，只需以剩下的横梁人扣绕过“乱枝撕风”也一样可以将他们拦住。从刚才那些人扣子的步法身形来看，这个人扣的功力就算不能杀了他们，至少能将他们阻在这里，一直等到园子中其他援手到来。

关五郎不喜欢多想，这样他就不会意识到危机的存在，这是坏事，有些情况下倒也是好事。比如说现在，真性情的五郎表露出的神情让人扣不敢轻易移动，也让面具女人放弃了继续围杀的打算。但这样性格的人也容易冲动，当他看到黑色门上没有锁扣的时候，便丢失了应有的谨慎，莽撞地伸手就往那门上推去。

“动勿得！”鲁天柳发出一声惊呼，她的声音其实并不十分尖利，但他的惊呼在五郎的耳中如同晴天霹雳。陆先生也被吓住了，他知道鲁天柳能有这样的反应肯定是非同小可的事情，他看过天师掌门给的《玄觉》，也听龙虎山的那些老道们说过，鲁天柳是青瞳碧眼的半仙之体，所以在鲁家，他是最了解鲁天柳的，甚至比鲁天柳自己还了解。当然，这只是在鲁天柳偷看了《玄觉》之前。

鲁天柳开始并不知道危险来自哪里，只肯定很危险，在眨眼间就可以让他们三个化为齑粉。她闻到了一种味道，一种过年的味道。是的，这味道只有过年时才会时常弥漫在空气之中。

火药！对！鲁天柳嗅觉作出这样的肯定，而且这火药绝不是鞭炮的火药。因为这味道要浓烈得多，刺鼻得多。她绷紧的神经似乎都可以感觉出这些火药爆炸的威力，浑身的汗毛都不由得在剧烈颤抖。

“勿要动，千万勿要动！”鲁天柳的语气很少有这样紧张的。她的紧张让另外两个人更加紧张。

“我不动，你们先退。”关五郎从不将自己的生死当回事，只要是鲁天柳没事就好。

“呆了你，你晓得就你踏落弦子？阿拉两个亦可能踏落的。”鲁天柳今天真的有点恼五郎的莽撞了，同时她心里也责怪自己太过大意。她回头看看站在龙骨墙外面的那个戴面具的女人，再看看那个呆立在那里没有继续纠缠的人坎。她终于知道为什么他们没有跟过来，因为这里是个绝断坎，杀戮威力很大、波及面很广的一个绝断坎。

## 碎尸雨

三个人都不敢动，可是有人却要动了。面具女人轻轻地哼了一声，呆立的人扣顿时重新活泛起来，他迅捷地绕开竹签阵，往前走动了几步便停住了。随即手中匕首一颠，将匕首前后翻身，以三指捏住匕首刃。这是标准的飞刀手法。

关五郎站着不敢动，伸出的左手搭在门上也不敢动，只有提刀的右手可以动作。但是动的速度不敢快也不敢用力，他怕带动身体其他部位而弹带了弦子。所以当匕首飞过来的时候，他只能用朴刀的刀头部分护住自己的头部和脖颈部分。匕首重重地落在五郎筋肉结实的臂膀上，发出“噗”的一声闷响。可能是五郎天生反应较慢，他对疼痛的忍受能力也很强。匕首的尖儿都钉咬住他的骨头了，他却一动都没动。

人扣举起了第二把匕首，他的目标还是五郎，这次匕首是往下三路去的。

匕首飞到一半的时候，鲁天柳也动了，她往人坎那边紧赶两步，同时撒出了自己的飞絮帕，飞絮帕的小钢球撞在匕首上，匕首的方向偏了，直落在鹅卵石铺成的地面上。匕首飞出的力道很大，在地面上一弹后，撞在那扇黑色圆门上，发出“当”的一声响，如同钟鸣。原来这黑门也是金属的。

一根飞絮帕撞偏了匕首，另一根飞絮帕缠上了人扣的手腕。“辟尘”一工中“链臂”的手法要在人扣的手腕上打个精巧难解的结是很容易的事情。

人扣的反应是很快的，鲁天柳的身形一动，他就开始往后退步，等飞絮帕的链条一缠上手腕，他抖臂绕腕想脱出缠绕，可还是慢了，结扣已经打下。他的另一只手赶忙上去解那链子结，可是摸了几下却无从下手。鲁家人打的结怎么可能这般容易就解脱出来。

让那人扣最为骇异的是，就在他试图解开链子结的时候，鲁天柳手中链子一抖晃，竟将他的另一只手也一起给扣住了。

鲁天柳手中链条甩得是精巧无比的，发力却是突兀迅猛的。链条刚扣上就突然带劲，往回猛地一拉，那正骇异着的人扣竟然被这个身小力薄的女孩子拉过来好几步。

那人扣绝不是力量不如鲁天柳，而是那眨眼的时间里，他疑惑了，走神了。这是因为他竟然没能脱开腕上的链条结，另一只手去解不但无从下手反而同样被扣。同时，他也因为另一件事纠结着。最早发现绝断坎的鲁天柳怎么就敢动了，刚刚她不是还在说他们都可能已经踏到弦子，谁都不能动的吗？难道那是说给自己听的，在给自己放诱饵？

其实，鲁天柳之所以敢动，是那人扣给了她提示，两次飞刀，目标都是关五郎。而且从飞刀的飞出途径来看，都不是奔要害去的，这种做法的目的应该是逼着五郎动。

也就是说，只要五郎动了，坎面就会动作。既然五郎不能动，那么就让她鲁天柳来动。

“五哥，侬格脚下勿动，把伊个门推推看。”鲁天柳好不容易缓口气，快速说出一句。刚才她将人坎拉过来几步后，人坎意识过来，马上踩稳脚步，两人一时成了相持状态。

鲁天柳的胆子很大，竟然让五郎推那门？其实敢这样做，也是那个人扣给的提示。她链拉人扣，人扣完全可以顺势扑击，可是对手却没有，看来是这里坎面的杀伤力极其大，让他不敢再继续往前。而刚才人扣将匕首飞出，在撞击那扇门以后，并没有下意识的侧脸抬臂动作，这正说明弦子不在门上，而且匕首的撞击告知鲁天柳那是一扇金属门，沉重的金属门作为扣子的话最多是砸拍之类的路数，这样平常的设计不会出现在这座拥有坎子行顶尖技艺的院子里。况且鲁天柳闻到的是火药味，火药的威力虽然大，但布置的人如果用它来推动宽大沉重的金属门做杀招，攻击面又窄，速度又慢，还不如直接使用炸药杀伤。由此推断，这沉重的金属门应该是这里扣子的定座（支撑扣子，让扣子威力朝预定方位施加的设施）。

鲁家六合之力中“布吉”有一技，叫做“改破”。就是所选宅地虽然什么条件都是上吉，可是唯独有一处或有某物破了局相，那可以采用除去或者移动的手法改变破相。这样的东西如果是一棵树、一条溪，只需要砍树或者挖渠改流。可是如果是巨块的尖棱或凸出山体，难度就大了。鲁家上几代有人在江南惊天堂学了一手用火药炸石的技艺，其中就有利用牢固定座使火药威力往需要方向炸出的技法，这有点类似我们现在的定向爆破。之所以要学这样的技法，是因为“改破”是有形状大小要求的，不能乱炸，否则反毁了其他上吉风水。摆弄火药这种技艺陆先生当然是不会太感兴趣的，可聪颖质慧的鲁天柳却将其牢记在心。

此时此地的各个条件一合，鲁天柳就基本看出其中端倪了。

那扇金属门应该是可以推开的，就算它平常时不能推开，现在也应该能推开。因为定座挡住炸药的爆炸方向，让其威力往一个方向去。为了保证那个方向的石棱不会因为威力过大，反而炸坏局相，所以在定座上会留一个释口，在爆破力过大时，释口会被推开，释放冲击力。这里也应该有释口，以防止过大爆破力在推动金属门做的定座时，将固定定座的整面院墙推倒。

关五郎手中缓缓用力，那金属门果然被推开一个不大的间隙，足够一个人通过了的间隙。

“先生啊！侬快些过去。”鲁天柳的话刚说完，陆先生就已经往那间隙走过去。他没问为什么，他说不出话的嗓子也没法问，只管低头迈步往那门的间隙中钻去。不过他心里确实明白的，鲁天柳能下决心定的事情，差不多都有九成以上的把握。

人扣拼命往后拉扯，希望可以挣脱链条。可是鲁天柳却纹丝不动，而且好像还很轻松。因为她的另一根链条已经缠上了五郎的刀杆，两个飞絮帕之间也打上了结。人坎现在变作与五郎在较力，那真如同蜻蜓撼石柱。也是五郎脚下不敢用力，要不然早就将这人坎给甩过来了。

看着鲁天柳轻巧秀美的背影从黑色院门的间隙中穿过去，站在龙骨墙外面的面具女人长叹了一声。她曾在后面戏楼前亲眼看到这个丫头和那傻小子被诱进戏楼，很明显，戏楼里自己认为绝佳的坎面和上选的高手没能留下他们。

戴面具的女人也是个高手，所以她从鲁天柳的眼睛里、话语里、气度里获知，自己也绝对没有能力对付这个小丫头。特别是对自家这道坎面布置，她不是预先就知道，却还能在转瞬间发现并且逃脱，说明其身怀能力已经远远超出了高手这个称呼的范畴。怎么陆先生这个老杀才从没告诉过鲁家有这样一个厉害角色。看来这个女孩子只有自己儿子能够对付，还有就是自己那个在外游学、天生异能的孙子能对付。

心思虽然纵横，眼前却未丝毫放松。女人甩手又发出一个响哨，龙骨墙尾端的宽檐翘脊上跃下两个浑身上下衣着如同青色小瓦的人扣，两个人扣矮着身子，身形如同扑食的猎犬，往黑色圆门那里冲杀过去。面具女人的想法很简单，哪怕用自家几倍的人命去换，也要让鲁家人死一个好一个。现在那里只剩下个浑身是蛮力的傻小子，他踩中套子没法移动，得趁这机会杀了他，绝不能再让他也走脱了。

两个青色小瓦般的人扣动作很快，但有人比他们还要快。谁？就是那个被飞絮帕牵住的人坎。其实他根本不想动，更不想动得快，可是实际情况由不得他，关五郎手臂上的力量不是他能抗衡的。他只能随着这巨大的拉力腾身跃起，就像一只被牵拉着飘起的风筝，晃了两晃就到了关五郎身体的斜上方。

人终究不是风筝，不可能老在空中飘着，就算是风筝也终究是要落下来的。人扣落了下来，他的落脚点应该是关五郎的头顶。人扣不是庸手，在这样的宅院里，不要说庸手，就是身手稍不如人都不会有容身之所。所以那空中的人坎面对落脚的位置有了想法，也有了计划。

人扣反应很快，在空中就迅速将右腿屈膝，膝盖直奔五郎天灵盖跪撞下来。他知道，这一跪，就算五郎是个铁壳脑袋，也会给他撞裂。但是他这一撞之后，难道就不怕五郎被撞开，松掉脚下踩住的扣子弦吗？这一点人扣也考虑到了，所以他没有双膝齐跪，他要留出一条左腿代替五郎踩住套子，不让机括动作。这不但要求这人扣动作迅捷准确，而且还要对这道坎面非常熟悉。

奇怪的事情发生了，空中的人扣发现站在下面的人忽然旋转成风，但这风不是旋风，也不是龙卷风，而是穿堂风，从黑色圆月院门的间隙中一穿而过。

膝盖落空了，人扣能做的和必须做的就是用左脚一下踩住五郎刚刚站立的位置。那位置是个鹅卵石铺成的“寿”字形阶面，站在这阶面上，却不知道是能延寿还是要断寿。

与此同时，他手腕上的结扣也突然像活的一样松开，跟着那风哧溜一下也钻进了黑色院门的间隙。

一切都如鲁天柳所料，虽然和她的算计有点出入，过程也惊险了几分，但结果却和预计的一样。

刚才鲁天柳从五郎身边钻过时，小声对他说了句：“拉他过来替你踏坎。”

鲁天柳不是随便出这么个主意的，她走过时看了一下五郎脚下的阶面。那是鹅卵石铺的阶面，这样的阶面在坎面中叫“碎面”。“碎面”做的坎子一般不会用直踏机括，因为在“碎面”上，踩踏的力量分布不是很均衡的，用直踏机括不可靠。所以这里应该是压弹机括，就是踩踏让机簧受力，在踩坎人移动开后，靠机簧发力，弹动弦子，启动坎面杀扣。因为机簧的力道始终是均衡的，从而保证“碎面”动作的可靠。

刚才人坎飞刀逼五郎移动，不是要他踩其他地方，而是要他移动走开，让压住的机簧释力动作。他不下杀手是有道理的，因为杀死五郎，五郎只要死后瘫倒在原地，他的体重还是会压住机簧不让坎面动作。

鲁天柳很清楚，既然是压弹机括，那坎面承受力道的范围就很广，这是为了保证各种体重的人都可以陷坎落扣。五郎可以压住簧，那人扣也可以压住簧，而且这坎面不怕压，就怕放。将那人扣拉过来，两人压住机簧是不会有什么问题，然后留人扣一个压簧也不会有问题。

鲁天柳的原意是将那人扣拉过来打昏放在坎面上，那人坎双手被缚，要达到这样的目的还算比较容易。

可是没有想到，那人扣竟然会身体高跃，从上往下用腿进行攻击。一百多斤的一个练家子，从高处往下直撞下来的力道，无论如何都会让关五郎退出一步、半步。与其让他撞出，还不如自己避开，你来了，我就走，大不了同归于尽，反正鲁天柳她已经脱身了。血一冲脑，五郎便不管不顾了，身子一旋，侧身就从门的间隙中钻了过去。

幸亏是那人扣了解坎面，幸亏那人扣的左脚离地面已经非常接近，幸亏那人扣的动作迅捷而且准确。坎面没有动作，要不然这下同归于尽的不只是他关五郎和那人扣，还有始终在门的间隙处往这边查看情况的鲁天柳。

五郎刚钻过去，立刻有两个人作出极度惊恐快速的反应。

一个人是鲁天柳，她抓住飞絮帕的链条，一拎一抖一晃，解了人坎手上的缠扣。然后拉住五郎迅速蹿出，趴倒在地。她是害怕五郎这样不管不顾如风般钻进院门，凭五郎的大力，肯定会牵动链条，带着那人扣继续往前移动，使坎面动作。

还有一个是站在门外的人扣，他的想法和鲁天柳一样，这时无论如何都不能再让那大块头拉着往门里去了，那样，自己会化作一蓬血水泼到那里头。所以他一落稳脚步，马上双腿一前一后，后脚踩住坎面，前脚抵住未开启的半扇院门，身体后仰，他指望能依靠这半扇死门撑住自己的身体，不被往里拉动。

“咔嘣！”一声巨响，那人扣虽然没有化作一蓬血雨，但他的的确确变作了一堆碎尸。与他一起变作碎尸的还有那两个青色小瓦一样的人扣。血溅得很远，扬起的血沫被气浪吹扬着一直飘到龙骨墙的外面，并从那青瓦隔成的花窗中穿过，涂抹在了那个金色的狸子面具上。

## 下龙鼻

坎面还是动作了，鲁天柳没想到，松开了链条，那人扣还是没站住。因为那人坎已经撑腿仰身，正准备拼尽全力抵抗五郎的拖拉，而就在这节骨眼上，那链条却活了似的解开了，人扣将自己摔了出去。

紧贴地面趴着的鲁天柳，可以从地面的震颤和门隙中窜进的气流中感觉到坎面的威力。爆炸的威力虽然很大，却和她预料中的相去甚远，至少和那厚重金属门做的定座不相配。如果只是这样的一个杀伤力，根本不需要用这样的金属活门来支撑和泄压。而且，那爆炸的声响也不对，倒像是用炸药启动了其他什么大型的扣子一样。莫非这是……

没容鲁天柳细想，清明的三觉马上就否定了她最初的判断。此时从地底下传来了极为猛烈的隆隆起伏声，其中还夹杂有她在前院天井地面下听到的怪异声响。同时，她的鼻子在浓浓的硝药味道里还闻到了晦涩、阴寒的气息，这样的气息能混杂在爆炸后的炽烈之中，说明散发这气息的源头蕴含着非同小可的能量。种种现象让鲁天柳改变了思路，不是火药爆破的威力小，而是其爆破威力向下分散了。炸药设置位置往下的地基肯定松散了，而且在这样巨大的冲击诱发下，某些奇怪的力量开始苏醒。此处可能很快就会像前院天井一样，变得步步惊心，所以必须赶快离开。

鲁天柳没说话，爬起身拉着五郎就走。五郎也不敢说话，他从没见过鲁天柳有这样凝重的表情。

眼前发生的一切可以让鲁天柳想到很多，但她怎么都不会想到火药起爆的同时，鲁盛义那头刚好有一片枯叶落水，也没想到这一爆，拉开了驭龙格院子全毁的序幕。

前面小道的尽头是条长廊，长廊拐过弯就直接来到了一座书轩般的建筑前面。这建筑是正面全敞式的，弧形屋顶，内部格局整齐，柱壁对称，看上去是正三堂式的结构，中间却未分隔。陆先生正站在这建筑的门前等着。

刚才陆先生进到金属门后，就径直往前走的。他怕自己留在那里，累累赘赘地反而影响了柳儿他们的行动。而现在他倒是静静地站在这座书轩模样的屋子前面，背朝轩门，往远处望去。正对轩门的那一面和龙骨墙外一样，有一排高大树木，看不到什么。而在书轩的另一边，也是一条相连的长廊延伸过去。

鲁天柳和五郎快步走到陆先生身边，看到他的嘴在张合着，却听不见说的什么。

“先生，格里是个啥子地界？”鲁天柳轻声问道。

“树不高，遮不住高点子，可这边看不到什么。”陆先生的手指在一个假山盆景中的沙堆上迅速地写着，沙堆写满就马上用手掌一抚，平整了沙面再写，“敞地或是池塘，位置上该是池塘，属格局的龙口。”

不是陆先生不想说话，他是实在说不出话来。他开始意识到自己可能很快不是说不出话的问题，情况会比这糟糕得多。因为他麻木的颈部开始疼痛了，而且是里外贯穿的疼痛。疼痛的中心就是粘了瞿雎屎的地方。陆先生此时才意识到，扁毛畜生拉的屎有毒，它那肮脏行径不是以势夺人，而是一个实实在在的杀招儿，一个效果缓慢的毒招儿。

陆先生的左手手指摸过鸟屎，这时也开始刺痛起来。而不痛的手则迅速在沙堆上书写：“长廊相连不断，是龙须。”写到这，他用疼得颤抖的手指指两边长廊，“轩屋里有两口井，属龙鼻。果真是‘驭龙格'，连龙鼻都用轩屋罩住，虽然不断龙息，却无法直吸到日月雨露的天成灵气，使得龙精难聚，终为所驭。"

"先生，那格现在哪能办呢？"鲁天柳静静地问道。陆先生如此妙到极致的风水相局分析没能让她惊讶，因为她自己也看出了此中玄妙的八九分。而且鲁天柳早就知道那轩屋其实是个井轩，并且知道里面有两口井。因为她清明的三觉已经感觉到轩中两道柱状的浓重寒气喷涌而出，并将这井轩层层裹绕盘旋。

"下龙鼻。"陆先生这三个子写得极度地遒劲飞扬，沙堆的沙粒被拨撒得四处溅落。陆先生如此地书写并非意气风发的表现，而是孤注一掷的无奈。他知道鲁家此趟目的应该和这驭龙格的龙宝有很大关系，但是局面发展到现在，只要有五六分把握可以让这两个孩子全身而退，他就绝不会让他们下龙鼻。"蜡嘴"鸟拉给他的毒屎让他彻底清醒过来，打开始对家就没准备放走他们一个人，包括自己。现在不管往哪里逃遁，遭遇的肯定是招招必杀、不死不休。也只有下龙鼻直探龙颔夺得龙宝，以此来要挟对家，才有可能保住大家全身而退。

鲁天柳没说话，虽然陆先生只写了这么三个字，但她却似乎听到陆先生心中所有想说的话。鲁天柳也没多思量，转身便走到井轩里面，并且直奔左侧井口。

汉代《九州见龙》[1]："琉溪藏龙，喜弄珠。其珠，龙之命宝，常于口、左鼻间循环不止。"

鲁天柳当然没看过这样的书，她是在龙虎山听降龙殿那个酒糟鼻子的秃顶老道说过。远古时有降龙尊者，专为民间百姓降伏孽蛟妖龙，他降龙不屠龙，所以常用手法是以一臂挟持龙颚，使龙无法张嘴，另一只

1 是最早专门详细描写龙的著作。当时以竹简书写，所以篇幅不大，其中总共大概描写了八种龙。存世有散碎竹简，且字迹已然模糊，想全篇辨别清楚极为困难，许多文字为推断揣测而出。

手直插龙的左鼻孔，整个手臂探入，从龙颌处挖出龙珠，如此妖龙便被其控制。所以，当鲁天柳从陆先生的心中听懂所有信息和目的后，她想到了这个降龙的手法，下龙鼻取龙宝，应该由左鼻下去。

鲁天柳将飞絮帕收在自己袖中，她知道自己这趟下去没有趁手的家什是不行的，飞絮帕肯定得带着。她还必须给自己留条退路，谁都不知道那井下会有什么。于是她让五郎解下腰里缠着的捻股牛筋绳，松开了三股，将牛筋绳变作原来的三倍长。鲁天柳将绳头打了个抖解扣，这扣子系上后就牢固异常，但需要它松掉时，只需朝几个角度稍稍抖动一下就可自解。她将扣子系在自己左腕上，另一端系在五郎的刀杆上。

鲁天柳褪去了外面蓝印花布的棉衣棉裤，只穿一身暗绿色的衬衣裤。一双穿着棉线袜子的天足踩在井沿边上，将身体挺起，准备直直跳下去。这是一种方式，不是莽撞。

那年随老爹外出寻奇木，在神农架遇到神捕猎手卓百兽教她的。就是当必须进入一个自己不清楚的环境或危险的地方时，千万不要悄悄地慢慢地进入，那样说不定反而让里面的怪兽或其他可怕东西做好了准备，等你一进入，马上就发起攻击。应该快速直接地进入，进入的一瞬间，只会让对手惊恐慌乱，而你却可利用那一刻将周围的一切观察清楚，并有机会选择攻击或者逃离。

五郎此时低声却语气坚定地说了一句“我来吧！”

鲁天柳用眼神制止了他，在这样的眼光里，五郎的坚定化作一口重重的长息，轻轻地吁出口外。

鲁天柳一脚已经跨出井沿，突然又收回，她回头看了一眼始终背对着井轩的陆先生，柔声说了一句：“先生，侬要保重自家格！”

“扑通！”这声音其实不大，只是从井中传来的一点回音。

陆先生站在门口，微仰着头，散披着的花白头发在寒风的吹拂下簌簌飘拂，那被死封铃削去一大块头皮的头顶血红得有点刺眼。随着鲁天柳入水的声音传来，他的身体伴发出一阵难以自制的颤抖。

鲁天柳跳下了水井，虽然她清明的三觉让她觉得不安，但她还是义无反顾地跳了下去。

骤然入水，鲁天柳一下子就僵住了，她的肌肉仿佛不能收缩了，血液不再流动了，关节也无法转动了。这井水的寒冷超出了她想象，就像是万根冰刺刺入她的身体。本来井水应该是冬温夏寒的，可是这里的井水却违反了这样的规律，非但不温，而且冷寒的程度远远超过了夏天。这一点让鲁天柳很是心惊，按理说这样寒冷的水温，她的超常触觉在井口就能感觉到，可实际上却没有。幸亏极度寒冷只是在靠近水面的一层，往水底多下了些，温度反倒缓过来了。

鲁天柳迅速扫视周围，漆黑一片，什么都没有，但她听得出，附近有划水的声音。她的触觉告诉她，水中波纹涌动，有东西在向她靠近，带着一股霉涩污浊的味道。

让她感到心惊害怕的事情才刚刚开始，就在她稍微适应了一下水温，让浑身的肌肉关节刚重新活动开来的时候，她突然发现自己好像不是进入到井中，而似乎是溶入了一片星空……

## 鬼火竹

从池塘月形口子中翻涌出的水柱好长时间才平复下来，翻涌起的水柱让整个池塘面上弥漫起一片水雾，飘上池岸，飘上平台。水雾很湿很冷，淡淡的水雾附上身体如同是将人浸在冰水之中一样，让站在平台上的鲁盛义和鲁恩止不住发出一阵寒战。

水雾渐渐淡去，可鲁盛义和鲁恩还在打着寒战。

“怎么了，难道真的老了，连这样一点寒气都抵不住了？”鲁盛义心里在自问。

颤抖变得剧烈起来，甚至连身体都出现了轻微的摇摆。这样的情形绝不是寒冷可以造成的。是震动，石头平台在震动，台面上石头之间的缝隙在渐渐变大；小楼也在震动，窗棂上的花色玻璃发出清脆的颤音；水面也在震动，刚平静的水面上跳跃起无数细鳞波纹。

鲁恩早就一足跨过平台的石头栏杆，用双腿紧紧夹住石头栏杆来稳住身体。右手紧握住刀柄，左手提着背筐护在身前。他对异常情况的反应比鲁盛义敏锐多了，当鲁盛义还在对自己颤抖摇摆疑惑的时候，他已经是全副攻防皆可的状态。

在碧绿的水面下，一条曲折蜿蜒的黑线从池塘的对面延伸过来。像是个放慢速度的黑色闪电，要把池塘、平台、小楼劈成两半。

“闪电”后随之而来的是“炸雷”，隆隆的“炸雷”。池塘不知道是不是被劈成两半了，但平台确实是被劈作了两半。就在鲁盛义也学着鲁恩的样子靠上另一边的石头栏杆时，那些石头之间的缝隙已经变得有巴掌宽了。鲁盛义刚牢牢抓住栏杆的立柱，石头平台已经整个地分作了两半，中间一道两尺多宽的碧绿水道直冲小楼。

小楼没有被劈作两半，而是被吞掉了半截。“观明阁”和石头平台都在下陷，而且速度相当快，那碧绿的池水冲进屋子时，已经是在小门的上半部分。

这是怎样的一个坎面？鲁盛义和鲁恩都害怕了，布置如此巨大的坎面他们从没见过，启动变化如此霸道的坎面他们更没见过，所以更谈不上分辨坎面的扣子、弦子、扳括在什么地方了。

不对！鲁盛义突然意识到，这不是坎面。刚才他是从小楼正门进入小楼的，在那里他仔细查看过里面的所有设施。如果这真是一道坎面的话，就算它掩藏隐蔽得极为巧妙，让人瞧不出机括布置，但是屋里那些地板楼梯的木材有没有入过水，他这个班门的后人没理由瞧不出。

鲁家“六合”之力“定基”一工，不但要定宅基，还要定基材。所以这一工中有“辨材”一技。不管什么坎面布置好以后，都要有一两次的试坎。如果坎面像现在这样动作，试坎就有水进入屋里。木材只要入过水，就会留下痕迹，而鲁盛义在底楼屋内没有发现这样的痕迹。

既然不是坎面，那怎么会这样？莫非对家要毁园走人？目前为止对家不应该到了无招可使的地步呀？

看着小楼整个陷下去一层，鲁盛义他们两个人站在破裂得一塌糊涂的石头平台上惊愕了许久许久。最后还是鲁恩先从这样的惊愕中省悟过来，他看看小楼，又看看墨绿的水面，脸上露出抉择艰难的表情。在他的眼光中，恐惧与欲望并存。

鲁恩的表情渐渐变得坚定。他一直不曾说话，不知道他在想什么。他开始动作了，也一时看不出他要做什么。

脚下晃了晃，测试一下脚下那半边平台的牢固程度。那平台虽然断开变作两半，但半边平台下的撑柱牢固性还是极好。然后鲁恩从背筐中拿出一卷细绳索，熟练地打了个拴缆扣系在平台的石栏上。

鲁盛义将思绪收回了，这是他行走江湖的经验。脑子只有一个，想不通的事就先别费脑子，应该用更加直接的方法去发现。而且东想西想会让你疏忽了其他重要的东西。

鲁恩系绳子的时候，鲁盛义正很仔细地看着他的手法。这个鲁恩有些时候异常聪明，但有的事情也真的很迂拙，这个拴缆扣鲁盛义教了他好多次，他还是反穿绳的打法，虽然也一样牢靠结实，可是绳扣间缠绕得却很难看。

鲁恩脱掉外衣，露出一身黑色水靠。鲁盛义从没见过鲁恩穿过这样的装束，更没想到鲁恩今天的衣服里面会有这样的装束。其实他也从不知道鲁恩会水，更没见鲁恩下过水，但鲁盛义没有惊讶，因为今天入了这个园子，就没什么事情再值得惊讶了。

鲁恩抬起头来，看着鲁盛义的脸，终于说话了，他用平静却不容置疑的语气说了句："我下去瞧瞧，你给护着点回头绳。"

"行。"鲁盛义同样平静地回答，并且坚定地点了一下头。

下水前鲁恩没有将绳子系在身上，而是将绳头叠作三道咬在口中。这样比系扣要方便，需要解脱时只要张口吐绳就行了。

鲁恩一个跃起钻入了裂开的水道，身上受伤处的血渍在墨绿的水面上泛起几道殷红的涟漪。鲁恩下水的姿势很不寻常，是将单刀挺直在身前下水的，这样就有个破水的锐角，一则是入水时快捷，游动省力，而且还起到试探和保护的作用，同时使自己处于一个可随时攻击的状态，对水下可能出现的威胁及时作出反应。

鲁盛义想起鲁恩好像是浙江定海人氏，那里凭临大海，三江汇流，会些水性应该是常理之中。可是鲁恩这一身水靠是什么时候置办的，自己倒不是太清楚。看着挺光鲜，应该不会太久。

断开的石台面上，那些石块纷纷落入了绿得发黑的水中，分裂出的水道越来越宽，最后只剩下靠近两边栏杆的一路长条边石没有掉入水中。小楼陷下去有半截，两层中间的飞檐刚好搭在了断开的平台上。鲁盛义可以沿长条边石攀上飞檐，再从檐额上走到小楼另一边的地面。

飞檐的琉璃瓦是光滑的，鲁盛义小心翼翼地踩上飞檐瓦面。他从小楼的结构和构架间的连接上可以看出，飞檐依旧坚固，至少可以承受他的体重。但他还是害怕这瓦面上有什么布置，于是慢慢跪下，放下手中木刻刀，双掌撑住瓦面，伏下身来，侧脸迷眼细细地看去。

小楼经过这样的一番大动作，二层窗棂的花色玻璃都被震碎了，把这飞檐瓦面铺洒得星星点点。这种情形辨别瓦面有无设置，是很有难度、很费时间的。

小楼陷落的巨响没有了，周围很静，只有那些碎了玻璃的窗棂摇动着，偶尔发出“吱呀”一声怪叫。在这静谧的环境里，这样的“吱呀”怪叫显得分外清晰响亮。

随着一声稍长的“吱呀”怪响，二层的窗口出现了一张脸。一张戴着血红狸子面具的脸。随着这脸一起出现的是一根紫色竹管。持紫色竹管的手白如岫玉，让人一眼就能看出这戴面具的是个保养很好的美丽女人。女人的手臂慢慢抬高，悄无声息地探出窗外，将紫竹管的管子头对准趴伏在瓦面上的鲁盛义。

那柔嫩的纤纤玉指按住竹管上一个椭圆的疤痕，手指在渐渐用力，疤痕在慢慢下凹，鲁盛义的生命与那地狱之火步步接近。

“鬼火天竹”，就是刚才在二层发红色火球射鲁恩的器械。这器械是根据宋朝天波府杨家“排风火棍”改造而来的。据说杨家的烧火丫头杨排风用的兵刃烧火棍是当时开封的天玑巧手朱夫人给制作的，棍中暗藏机括，对敌之中可以拧开机括，从火棍头里喷出火球。后来武林中的几个暗器世家都根据这棍子改造出好多类似的暗器，但最为成功的就是亳州霹雳炮堂做的“鬼火天竹”。据说这玩意儿集轻、巧、快、密、毒、狠等特点为一体，其发出火球为南疆火精石粉，沾身不落。可是这“鬼火天竹”亳州霹雳炮堂只拿出来显摆了一次便销声匿迹了，再没在江湖上出现过。

面对伏在瓦面上引首待诛的鲁盛义，戴红狸子面具的脸开始嘴角向上翘起。她笑了，而几乎在笑意刚露出脸庞的同时，眼中却闪过一丝杀意凌厉的光芒。

鲁盛义这个目标真的太大了，距离也太近了。一招即中是没有悬念的必然结果。

戴红狸子面具的女人就要让她手中的“鬼火天竹”喷射出光芒四射、艳丽绚烂的“鬼火”，她要用那像生命一样嫣红绚丽的火焰夺去鲁盛义的生命。

就在这生死顷刻的一瞬间，就在这耀目光亮即将出现的一瞬间，女人的眼前突然出现了一片五彩亮丽的星光，耳中突然听到一片风摇群铃般的脆响。星光虽然并不十分亮丽，却让女人感到眼前的世界突然变得混沌，铃音虽然很是低弱，却让女人拿不准那声音会不会是要命的刃颤声响。

红狸子面具的女人惊恐了，她迅速后仰身体避让，这样急切地避让让她都忘了依旧伸在窗外的紫竹竿。

于是一只筋肌暴突的有力大手紧紧抓住了紫竹竿，并用力往外拉拽。女人这才意识到天竹还在窗外，同时她还看清那些星光和脆响来自一把飞扬的彩色玻璃碎片。那让视觉和听觉产生恐惧的威胁不是真正的威胁，真正的威胁是窗外拉拽天竹的那股大力。

女人柔嫩的手与拥有的力量是极不相称的。她首先一把将“鬼火天竹”死死抓紧，让已经有一小段逃脱出她手掌心的天竹在她手中变得纹丝不动。然后手臂往后用力，将那“鬼火天竹”渐渐地往里拽回。

外面那一只大手明显抵挡不住女人柔嫩的小手，于是另一只大手攀上天竹，两手一起往外用力。女人的反应也很快，她的另一只手也抓住了天竹。四只有力的手一起用力，将四股大力都作用在这样一根笛子般粗细的竹管上。

不知道是哪只手，也不知道是哪股力，按下了“鬼火天竹”的机括。一颗灼热的艳红火球飞出了紫竹管口，直射进池塘之中。这样的情形让外面的人吓了一大跳，抓住天竹的手一下握得更紧更用力了。大手的如此反应让里面的柔美小手也不得不继续加大力度。

于是，紫竹管的管口中便一个接一个地飞出艳红的火球，足足有八九个，连成一串，射入池塘中那个隐约的月形口子之中。

窗外的人当然是鲁盛义，由于瓦面上有许多彩色玻璃的碎片，影响了他对瓦面的察看和判断，一时之间看不出檐面上是否有坎子。但他又不愿就此放弃，因为他要通过这飞檐走到鲁恩系的回头绳那里。

也幸亏是这些影响他察看和判断的玻璃碎片，从它们的倒映中鲁盛义看到一根管子探出窗外，对准了他。檐面不宽，旁边就是冲塌小楼的水道，他无法闪身躲避。手中也没有武器，就算有武器他也不敢贸然去格挡那根管子，因为他根本就不清楚那管子是什么东西，是如何杀伤的。于是他急中生智，随手抓起一把碎玻璃抛洒进窗户。这一招果然有效果，窗棂里面的人避让了，那紫竹管的管子头也转向了。这一切给了鲁盛义活命的机会。

能在屋檐的琉璃瓦面上快速作出反应的有两种人，一种是轻功高手，一种是建房铺瓦的工匠。但两者又有着不同，前者可以点踩瓦面、飘逸如风；后者却是找的瓦面实点，手脚并用，连踩带爬。

鲁盛义就是这样一个工匠，他左手压住屋檐的檐根部，那是个实点，然后身体翻转，双足脚尖踩住两道瓦面的凹沟，半仰的上身正好可以靠在窗棂下面的墙壁上，而扬抬起来的右手正好可以抓住头顶上方的“鬼火天竹”。虽然鲁盛义不敢格挡这竹管，却敢用手去抓，因为他看见这竹管本身就有一头抓在人的手中。

一番激烈的拉扯之后，鲁盛义夺到了“鬼火天竹”，不是他的力量大，他就算再多出两只手也不一定能从红狸子面具的女人手里抢到天竹。是因为那女人自己松手了，就在天竹喷出了第九颗火球的时候她松手了。

鲁盛义突然失去重心，身体不由地往前跌去。他本来是半仰着靠在墙壁上的，突然的失衡让他的身体离开墙壁，由半仰变作半蹲，整个人的重心已经不在两个脚尖上了，而是转移到上半身。于是鲁盛义冲出飞檐，往水中跌去。

松开天竹的手不会善罢甘休，她能松开要命的武器，说明她另有要命的招数，再说了，“鬼火天竹”射出九枚火球后，就已经和一根烧火棍没什么两样了，除非重新装填火精石粉球。没用的东西干吗费力气去争夺，把这力气留着来击杀争夺的对手不是更好吗?

松开天竹的手没有收回，而是重重击出，击中正往飞檐外冲出的鲁盛义的背心。

抢在鲁盛义前面落入水中的是一片血雨，这血雨是从鲁盛义口中喷出的。血雨如同山水画中的泼墨画法，把墨绿的水面渲染得片片殷红。鲁盛义入水时的刹那，能清晰地看到浓绿水面上如有缕缕红氲。

跟在鲁盛义后面落水的是被他右脚刮带下来的木提箱，随着落水声的响过，红绿夹杂的水面上就只有这只木提箱在孤独地摇荡着，一起一伏的。

## 淤掩身

鲁天柳真的像融入了星空，因为她看到了许多星星，不时地对着她闪烁。所不同的是这些星星闪烁的是绿色的光，而且离她并不遥远。

突然掉入这样一个陌生诡异的境地，鲁天柳能做什么？什么都不做，她知道现在最有效的方法是静止不动，看清周围的情况再作反应。

鲁天柳的水性说不上是好是坏，她没学过游泳，但她第一次下水就能够凫水不沉。她在水里的速度其实并不快，至少与五郎相比差得很多，可她在水中的动作却能够比五郎控制得好，要动就动，要停就停。还有就是潜水，她练就的“鼓尘”一技让她具有绵长的气息，可以在水里长时间不浮出水面来换气。所以现在鲁天柳能够很轻很慢地摆动手臂和小腿，就像是漂浮的水草一样，将自己身体静止在原处。

鲁天柳尽量保持自己身体的静止，可是那些星星却变作了流星，肆无忌惮地动作起来。而且是成双成对地动作，天星陨落一般对着鲁天柳扑撞过来。

不知道那些星星到底是什么，却知道星星带来的感觉是晦涩污秽的。有着这样感觉的东西迎面快速撞来，迫使鲁天柳只能立刻作出反应，快速移动自己的身体躲避星星的直接冲撞。

鲁天柳在水中控制能力强，她的动作是灵活的，避让是巧妙的。因为她除了眼睛能够大概看到那些撞过来的星星，她还有清明的三觉。特别是在这水中，由于有水作为传导媒体，她的触觉能更加敏锐地觉察到环境的变化和力量的传播。

她的避让幅度很大，因为她感觉到星星带来的冲撞力范围很大，不是那么简单的两个点。这两个点是附着在一个人形的黑影上的，看不出是星星牵引着人影还是人影推动着星星，但这组合在水里的行动不但迅疾而且有力。

星与影的组合从她身边窜了过去，在离鲁天柳最近的时候，那对星星还转动了一下方向，在鲁天柳的脸旁作了刹那的停留，然后才随黑影离去。鲁天柳的动作虽然灵活，但这样的速度是她根本无法躲避过的。看来那东西也没有撞她的意思，只是要靠近她，将她打量个清楚。

鲁天柳在水里的动作让其余的星星剧烈地闪动起来，也许闪动得太过分了些，突然晃了晃便成双成对地坠向无尽的黑暗里。

对周围发生的事情，鲁天柳什么都没想。既然围住自己的那些隐晦诡异的感觉没了，她便迅速行动，做自己该做的事情。人毕竟不是鱼，水下的环境对于她来说要比地面上危险得多。

在江南地域，井下一般来说要比井口要宽大得多，这是由于江南一带地下水丰富。水下虽然很是黑暗，但鲁天柳还是能感觉出，这下面不止是宽大，那本来就是个很大的地下水域。而且从清明的三觉获取的信息让她知道，这水域肯定与什么水道池塘相连，因为她感觉到水的流动，那流动的水中不时夹带有清新的气味。

她是朝着右前方游动的。按照常理，左鼻的右前方是龙颔的位置。而且她在那个方向听到了流水的声音，也闻到清新自然的气味，这些情况让她知道，那个方向就算找不到龙宝，也应该有个水道或者水面，在那里应该可以换气。鲁天柳在水中的气息虽然绵长，但终归是要换气的，所以在水中的行动应该是朝着有换气点的方向过去，要不然就必须回到下水的地点换气，那样活动的范围就太狭小了。

情况并没有那么简单，危险其实没有离去，而是刚刚到来。沉下去的那些星星又悄无声息地升了上来，出现在已经游移开一段距离的鲁天柳身后，并且紧随其后，紧逼其后，紧扑其后。

鲁天柳也是在一瞬间就感应到危险的，她迅速改变在水中的高度和速度。这些是她在这样危险的环境里能作出的最佳对策。

那些黑影的速度比鲁天柳快多了，眨眼间，就已经围绕在鲁天柳的上下左右与鲁天柳并列而行。鲁天柳突然返身往回游去，她知道自己速度比不过对手，就只能利用身体的灵活来摆脱它们。可是当她转过身的时候，却突然停住。面前的情形让她害怕了，这从心灵最深处透出的恐惧让她的口鼻间冒出一连串的气泡。

眼前是一大片的星星，有远有近，有高有低，让鲁天柳觉得面前的不是一处墨绿的水域，而是一块深色的晶石，这些星星就是晶石上的发光点。

有星星扑了过来，但是鲁天柳没有躲闪，不是不想躲，是因为她清明的三觉告诉她，无处可躲。她是一个中心，一个被攻击的中心。前后左右上下都有东西迅捷地扑过来，此时，鲁天柳也真正见识到那些东西的速度，那速度比她曾经遇到过的“寒潭翼鳗”还快。

但这些鲁天柳很快就看不到了，那些东西将鲁天柳围绕其中，竟然就像是个阵法一样，前后有序，依次而进。它们并不向鲁天柳发起直接攻击，而是挟带着一些东西，迅速地靠近鲁天柳，在很短距离的位置，将那些东西掷投在鲁天柳的口鼻眼耳上。

那些东西是黏稠的，污秽的，还有阵阵恶臭。鲁天柳试图用双手将这些东西抹去，可是那些黑影紧贴着她快速游动，带起的水流不单是速度快，力道也奇大。许多道水流纠缠在一起，就类似一个强劲的漩涡，产生的巨大压力让鲁天柳连胳膊都抬不起来。

很快，鲁天柳不但是头脸部，就连整个身体都被那些东西包裹起来。只剩那玉质般的双手还伸在这外面，可是这玉质般的雪白正在快速泛青。

一声巨响，让那些黑影瞬间都停止了动作，定在原处一动也不动。只有星星在不停地快速闪动，狡黠地、警觉地闪动。它们似乎都忘记了鲁天柳的存在，漩涡水流的剩余力量将鲁天柳从它们静止后的间隙中飘走，它们都没作丝毫理会。

一个巨大的方柱形黑影从旁边缓缓倒下，轻巧无声地撞入一片黑暗，黑暗中又一个巨大方柱形黑影随之缓缓倒下，再撞入一片更为浓厚的黑暗之中。

刹那间，那些星星和黑影的群体疯狂般的直向一个斜上方的角度冲去，那里隐约有个不小的弯月亮。但这个群体没有冲入月亮，而是在一个临近水面的高度狂乱作一团，搅起的漩涡力道比攻击鲁天柳的时候还要强劲好几倍，翻腾起的巨大浪花直冲出弯月形的口子，在水面腾起桌面大小的水柱。

这些鲁天柳已经不知道了，她露在外面的一双手已经变作了青白色，清明的三觉也已经被包裹在那团污秽恶臭之中。那些攻击她的怪异东西游动时带起的水波带着她远远飘走。现在已经没有了漩涡般的巨大压力，但是她的手还是无法抬起，是因为失去了力量。绵长的气息已经所剩无几，意识也已经开始模糊了，她觉得自己在归去，到一个曾经到过也住过却从没在记忆里出现过的地方。

她仿佛看到自己绿衣婆娑，在微风中舒展得惬意，摇曳得快乐。远处这山浓来那山淡，近处一条大河翻滚东去。身旁，一块黑色大石上端坐着三个高髻古服之人，身前摆放着八只光华炫灿的玉盒。

终于，其中那个穿道袍的人站起，宽大的袍袖拂开面前垂挂着的柳条，荡起的柳枝扫在树干上，穿道袍的人便在这一荡之间飘然而去。这一切让鲁天柳觉得是道袍轻轻抚了一下她的手臂，让她情不自禁地抚摸上自己的脸。

对，是枝条在抚摸自己的脸，这一瞬间鲁天柳的意识突然变得清晰，她确确实实地感觉到枝条在抚摸她的脸。

枝条先是在她的身上扫拂，让包裹她的污秽恶臭迅速散去，然后迅速延伸，将她向上方托去。

她睁开眼睛，周围还是一片黑暗，不知道托举自己的到底是什么东西，但是在斜上方倒隐隐有个淡淡的弯月亮。难道天已经黑了？自己下来多少时间了？自己现在是人还是鬼？

一个闪亮的红色火球从身边划过，接着是一颗接一颗的火球连续射在周围的黑暗中。借助这红色的光芒，她看见自己的身下是密密麻麻的枝条，她也看到不远处，那些星星都在凝视着她。直到这时鲁天柳才看出那些星星其实是眼睛，一种动物的眼睛。这动物有点像猴子，一动不动地盯着枝条将鲁天柳托起，就像是在进行一种祭祀仪式。

鲁天柳的口鼻之中剧烈地吐出串串气泡，她的头颈和手脚也剧烈地扭动起来，这是垂死的挣扎。气息真的到了尽头，没有一点余量了，肺部已经开始胀得发痛，僵硬得像块石头。她下意识地张开嘴，绿腥气的池水涌入，她尽量用舌头堵住喉咙；鼻子也开始呛水了，这是最难受的，她似乎觉得池水顺着鼻腔冲进了脑子里。脑中空白一片，仅剩下一个念头：我死了。

就在鲁天柳要确定自己已经死了的关口，她一下子冲入了那个月亮，冲进了一片光明。那些密密的枝条将她托出了水面，她喉咙里发出一声嘶哑的低嚎，倒吸了一口粗气，随即这口粗气又从肺中猛然喷出，将鼻中、口中、肺中的水喷成一片雾。

出了水的鲁天柳迅速地换着气，身下的枝条好像伸到了尽头，不再继续将她托举，她想挣扎着从枝条上下来，游到岸边，可是不行，那些枝条不仅托举了她，还缠绕了她。

她在新鲜空气的抚慰下已经恢复了意识的清晰，稍稍扭头就看到那些枝条和叶子。刚刚从死亡边缘爬回来的她再次绝望了，那些枝条是“一刻生死阴魂菟丝”，一个一样会在片刻间要了自己性命的怪物。鲁天柳心说，自己出来时没看看遁甲盘，今天不知道自己犯了什么煞星，遇到的怎么都是必死的局，对家也忒狠了。

生在水中的菟丝藤比较少见，要有也只是像龙虎山道清殿的吴天师讲过的，长在沼泽之中的菟丝藤。这是因为菟丝藤在水中无法判断活物与死物，而它的生长需要抓活物破皮吸血，所以在水中的猎食和生长非常困难。那些菟丝藤的枝条将鲁天柳托出水面其实就是要判断抓住的是活物还是死物，这和扳网捞鱼的道理一样，让猎物离水以后再确定收获的到底是什么。也不知道是什么神奇力量赋予这些水下菟丝藤人一般的思维方式。

鲁天柳出水后就被确定为活物，于是藤枝条紧紧缠住了她。枝条开始收回，鲁天柳再次被拉入水中。

临入水的时候，鲁天柳深深地吸了一口气，这也许是她在这世上的最后一口气息，难免有些依恋。她的眼神绝望地扫视了周围的一切，这也许是她看这世界的最后一眼，也不免有些伤感。

在入水的瞬间，她看到池边房屋的窗前有一个带红色狸子面具的脸，面具上的一双眼睛惊愕地与她对视着，那眼光和她同样地绝望。

鲁盛义被一掌打入水中，血染池水。一直到水面平静下来也没见到他露头，只有那木提箱浮在水面一荡一荡地。

鲁盛义没露出水面，鲁天柳却出来了。这样一个不知从何处而来的女孩像死尸一样被许多枝条怪异地托出水面，出来后又突然活转过来，发出的声响和吸气喷水的情景真如同鬼魂归来。戴红狸子面具的女人惊愕了，就是这刹那的惊愕和失神，给了一个算不上对手的对手杀死她的机会。

跌下墨绿色水道的鲁盛义没有死，也没有晕厥。不是女人那一掌力道不够，而是因为他正好也是往飞檐外冲出，前冲的趋势让他卸掉大部分的力道。其次他也没有沉下水去，只潜在水下一点。因为他的木提箱就倒扣在他头顶上的水面，他正好可以轻轻地搭住木提箱提把，稳住自己在水中的身形。鲁家人做的木提箱大都是暗屉暗格，密封性极好，这就相当于一个水上救生用的浮球。水下的鲁盛义稳住身形后便按开了木提箱的一个暗屉，抽出了一把木工刨子，可以杀人的木工刨子。

一般的木工刨子是双推把，这刨子却是单推把，推把前是刨槽，中间卡有刨片，但不是一般刨子那样只有一块刨片，而是层层叠叠十张刨片卡在其中。这样的刨子可以刨木头，而且可以根据需要刨各种形状、材质、大小、角度的木头，因为十块刨片的刃口形状各有不同，只需将需要用的刨片稍稍调出刨底面就可以做精巧的木工活。但是如果将单推把扭转一个方向的话，这十片刨片就会依次沿刨底飞出，十张锋利的刃口飞射在人身上却不知道是怎样一番情景。曾经见识过这刨子威力的人给它起了个名字叫“十形碎身刨”，因为飞出的刨片可以一下子在人身上造成十种不同形状的伤口。每一个伤口都是会要人命的。

鲁盛义是有江湖经验的，他曾经遭遇过无数险境，所以掉入水中后并没有惊恐地马上浮出水面。水里目前应该还算安全，要不鲁恩早就窜上岸来了，就算上不了岸，回头绳也该动。刨子是在水面下发射的，只发射了一片，鲁盛义知道一次发射多了反而会让对手注意到。

当然，鲁盛义在水面下的发射考虑到水面的折射角度，这是他和大哥在破水下百婴壁之后总结出来的经验。当时他们要是也考虑到水面的折射角度就不会误伤活婴，中了对家蛊咒。

女人虽然是高手，却是个没江湖经验的高手。她和平常女人一样，会对发生的奇怪事情惊讶、好奇。于是当刨片飞出水面的时候，在她感觉中只是小瓦片、碎玻璃掉在水中溅起的一片水迹。

那是一块圆头双斜面刨片，圆头和双斜面都是刃口。斜面刃口划过了女人脖颈的左侧。

那里是大动脉，女人知道，这寒飕飕的“水迹”从左颈处一过，她眼中的惊愕就不止是对枝藤堆里的鲁天柳，其中已经有大部分是因为自己左颈处的感受，惊愕很快就变为绝望。

鲁天柳沉下水的时候只看到女人绝望的眼光，而当女人的脖颈处如喷泉般喷洒出鲜血时，她又没入在墨绿的水里没有看见。

女人就这样摊着双手任凭那鲜血喷洒，她除了绝望还有恐惧，也许是对死亡的恐惧，也可能是对鲜血的恐惧，幸亏这样的过程并不十分痛苦，她很快就瘫软在地，然后在没有任何感觉的情况下与这光明的世界别离。

与光明世界别离的不只这一个女人，还有鲁天柳。

## 启移茔

鲁天柳再次与光明的世界告别，沉入了墨色的池水中。但此时与刚才有个很大不同，她能见到一些光亮。那是刚才从上面射下的火球。这就是南疆火精石粉的奇异之处，入水不灭，直至石粉烧尽。明末《南游趣录》有记载："南地无名山出奇异火石，其燃难灭，水浸犹燃。"

但鲁天柳很快连这火光也看不到了，菟丝藤的枝条将她连头带脸全包裹起来。

火球红色的光让那些星星变得暗淡，像猴子一样的动物竟然还是都没动，一大群地悬浮在水中，眨巴着眼睛看着已经变成一个藤条团的鲁天柳。仿佛就是个恭敬的侍者，在一旁静观着一场大宴，以便随时听候主人的差遣。

菟丝藤却开始从藤条的叶端处伸出些细细的毛刺，毛刺蠕动着往鲁天柳的肌肤里钻。有衣服的地方目前还好点，裸露在外的肌肤却已经感觉到刺痛。其实不需要身体所有部位都被毛刺扎入，只要有小块地方就够了。一刻生死菟丝藤，一生只有一刻时间。这一刻里要抓到活物再吸干他们，吸血的速度必须非常快。

而且菟丝藤是必须长在坟墓之上的，没有坟墓中的阴气它就没有存活的机会。所以都说它们是鬼魂的触手，都说它们有着鬼魂的思想。它们继续将鲁天柳缠裹住，试图打开更多的吸血通道。

两根菟丝藤的枝条从鲁天柳单薄内衣的对襟间隙中伸到她的胸前。

藤条一下子止住，不止是这两根藤条，所有的藤条都止住不动了。而那些叶端处的毛刺，不但退出鲁天柳的肌肤，甚至都缩入叶端之中。

不知道这两根藤条在鲁天柳的胸前碰到了什么、发现了什么，可以肯定的是那里面的东西让它们害怕。

其实很难说到底是菟丝藤害怕还是墓中的鬼魂害怕。不是说它们是鬼魂的触手吗？有着鬼魂的思想吗？的确是这样，一种只有一刻生命时间的植物，它们要吸一些活物的鲜血干什么？无非两种可能，一是菟丝藤立足的坟墓中确实有个嗜血的鬼魂，还有就是坟墓散发的阴寒之气太浓，迫使菟丝藤要热血来延长自己就一刻时间的生命。

此时有一个人是愤怒的，于是这人在这墨绿的水下发了狂。

这人是关五郎，他嘴里衔着两个发白发亮的气泡，如同出世的恶魔一般，旋转朴刀往那一堆藤枝砍斩过去。

其实不用他的砍杀，那菟丝藤的一刻光阴也到头了。枝叶在迅速的畏缩、抽搐、枯萎，藤茎已经变得酥脆。缠绕鲁天柳的所有藤条都已经松散，鲁天柳只轻轻地抖动四肢就挣脱了它们的束缚。

奇怪的是那些猴子般的动物没有反应，它们眼睁睁地看着这个粗壮勇猛的汉子砍着这些藤枝，眼睛的扑闪却没有停止，那光芒始终是诡异的、恐怖的。

鲁天柳从藤条中挣脱的一瞬间，首先是拉着五郎往那月亮形的出口游去，她知道那些猴子模样的动物是什么。在龙虎山的时候她听老道说起过，所以不想第三次落入死亡的绝地。

鲁天柳挣脱藤条的一刹那，那些猴子模样的东西也动了，它们有的直冲顶面。有的没入黑暗，有的沉入水底。消失的过程是无声无息的，只有在红色火球的映照下隐约可以看到它们行动的轨迹。

它们重新出现的情形也是无声无息的，鲁天柳和关五郎再次被包围也是无声无息的。此时火球已灭，所有信息是鲁天柳清明的三觉首先传达给她的。关五郎虽然没有清明的三觉，但他很快也看到自己置身于一片星星的团团包围中，无隙可逃。

关五郎怎么来的？本来他一直在井口上面护着鲁天柳的回头绳。突然间见井中翻腾起让人心惊的水花，回头绳也被拉扯着一会儿松一会儿紧。这一刻他是极度地焦躁不安，几次想下到井里又止住脚步。鲁天柳下了决定的事情，他是绝不敢违抗的。

不知是什么地方传来一阵闷响，五郎脚下一阵摇晃，他一只手扶住轩屋墙角的立柱，另一手撑住刀杆，这才稳住自己的身体。可就是这么一阵忙乱，五郎突然发现刀杆上的回头绳不见了。原来是他抓住刀杆撑住身体时，拧开了机括，“如意三分刃”尾部一截横折过来，回头绳的绳头便顺着这横着的刀杆尾端脱落掉下，刷的一下就没入了井中。

五郎慌了，蒙了，不知如何才好，只好求助于轩外的陆先生。

站立在轩外门口那个大盆景前的陆先生此时跌坐在地，那个造型很诗意的盆景也和他一起跌落在地。

紫砂盆子的碎片溅得到处都是，陆先生刚才还站立在那里仰首四处张望，现在却低垂着头，坐在地上一动不动。这情形给五郎的第一感觉是这瘦骨嶙峋、浑身是伤的老先生死了。

也是，这样一大把年纪了，浑身上下都血肉模糊，背上、腿上扣着的几个铁爪子仍在顺着爪子柄滴血。没有血伤的地方就是烧伤，那些烧烫出的血泡都在后来的争斗中压挤破了。一块块皮搭挂着，肌肤变作了厚一块薄一块，白一块黑一块。破皮的地方又白又薄，几乎能直接见到肉；挂皮的地方又黑又厚，那是两层烧焦的皮叠在一起。这样的一个老者，就算没有死透，也已然是七分鬼性了。

五郎静悄悄地从背后走近陆先生，在离陆先生不到一步的时候，他伸手去扳陆先生的肩膀。就在这一刹那，陆先生低垂的头猛然抬起。这让五郎吓了一大跳，还以为是诈尸呢。

陆先生没有死，他慢慢地转过身来。他的脸上又挂下来一路路的血珠道道，大概是刚才和那紫砂盆景一同摔倒时又撞伤了。他的脑袋不停地晃颤着，不知是由于疼痛还是虚弱，但他的手却将随身携带的遁甲盘抓握得很紧很稳。

陆先生看着五郎的眼光有些死死的，五郎看陆先生的眼光有些定定的。陆先生是想表达些什么，可是却说不出口；五郎也不可能从陆先生的眼光中看出什么。

陆先生用中指重重地点在自己的额头上。五郎心想，是要我给他包扎一下脑袋？不是这么回事，陆先生用手指在额头上搅起浓浓的一块血渍，然后在地面上书写起来。

五郎认识一些字，但必须是工工整整的字体。陆先生写的是工整的字体，他了解五郎，五郎认识的字大多是他教的。而且陆先生这时候书写的是倒字，这就像将那些字摆在五郎面前，不用五郎转过来就可以正面看到所有的字。

“下井，带她逃！”只有五个血写的字，五个血字里充满了惊恐、无奈、急切，似乎还有永别的意思。

为什么要这样做，五郎不知道也没有问，但他知道这些字要求自己怎么做。于是转身就走，边走边从斜挎腰间的直筒筐子里掏出两张白色皮囊和一个小双节竹筒。

那很薄的皮囊其实是经过加工后的猪尿泡，双节竹筒是个简易气筒。五郎的动作很利索，等他再次站到井口的时候，他的嘴里已经衔上了两只充满气的猪尿泡。

这是太湖上有名的渔夫“带刺鼋鳖”俞有刺教他的潜水法子。这法子可以弥补气息不够绵长的缺陷，在水下可多换好多口气，据说宋朝名臣包拯手下带刀侍卫，五鼠中的翻江鼠蒋平玩水活儿就是采用这种方法。但鲁天柳一直不喜欢用这个法子，这也情有可原，让一个女孩子衔一个猪尿泡确实不雅。

五郎没有用回头绳，他快速脱掉外面棉衣，持刀直接跃入井中。

刚入水的五郎也被一阵刺骨寒冷激灵得差点晕过去。但再往下沉寒冷反倒没那么强烈了。于是他稍微往四处张望了一下，就往有红色火光的方向游去。

陆先生看着五郎跃入井中，脸面牵动强露出点笑意，心说："就记挂着那小的，根本没想到我这老的。也难怪，我二十年前不也和这傻小子一样，不，比他还要不顾一切。"

收回思绪，面色再次变得凝重。陆先生低下头看了看手中的遁甲盘，这遁甲盘九星八门的方位和刚才进门时又有了不同。这么短的时间内，方位本不应该有什么改变，可是刚才陆先生的头撞到紫砂盆景，头上流出的血滴在遁甲盘上。血迹流出了一个弯曲的线道，这对于一般人来说意味不了什么，但对一个"切金断玉"的风水高手来说那可就大不一样了。

这根鲜血流出的曲线将惊门挂作了伤门，又将天卫星上二道斜斜隔去，只留下凶在秋冬的局相。

陆先生在心中默念定语："伤门气短数三三，捕杀索债追亡还。天卫星去斜二道，只余凶险在秋冬。"鲜血将局相变换成这种运数，看来自己这把老骨头真就要与这驭龙格局的园子同归了。真不知这该算自己的劫难还是算自己的造化。

于是他朝前爬挪了几步，然后艰难地扶着石头栏杆站起来，再次仰首往四处望去。刚才的那一阵大震让周围的环境也有了很大变化。廊道坍塌了部分，花墙瓦檐碎落，树木不再挺拔，变得有些东倒西歪的。但这样环境就变得相对敞阔些，对于陆先生来说这是好事，敞阔便于他寻找，寻找一根柱子，一根盘龙的柱子。

驭龙格，盘龙局，又是皇家遗脉，那这家园子无论如何都应该有个柱子，一根用来擎天地、盘神龙的柱子，要不然这园子早就塌了。

陆先生似乎是找对了方位，他决断地义无反顾地离开了书轩门口，蹒跚着脚步顺着另一边的龙须廊道往前走去。

五郎先将自己嘴中两个气泡拿一个下来塞到鲁天柳嘴里，然后摆动朴刀，双脚踩水往那些星星群中杀去。他这是想杀出一条路来，就算不行，至少也要将那些猴子模样的东西引开一些，给鲁天柳逃走的机会。

那些猴子模样的东西到底是什么？就是俗称的落水鬼，也叫水猴子。日本人则称之为河童。这怪物在水下力量奇大，速度奇快，而且牙尖爪利，爪上有蹼，爪背有鳞，红眼、尖耳、长臂，面如癞。喜欢将人拖入水中，抓淤泥将人七窍尽塞致死，除非遇到水性极好之人与之对抗，它才会使用爪子和牙齿。这玩意儿在古籍《异兽全记·水怪录》[1]中有记载。但这怪兽在世上已经极为少见，偶有传闻也只见到一两个而已，可这里怎么会聚有这么一大群？

不过鲁天柳他们见到的落水鬼和传说中的还是有一些不同的。首先这里的是绿眼而非红眼，虽然也像猴子，但身体却很是粗壮，全身是癞。再有就是它们的爪上没有蹼，这点好像更接近于灵长目动物。

鲁天柳早知道这怪物，而且还不止是听一个人说起。从小生活在江南水乡，老人告诫小孩不要去河边玩耍都是用的这个怪物来恐吓的。后来在龙虎山“皃海阁”见到一幅壁画上画了个躲在芦苇荷叶下的怪物，不知是何物。“皃海阁”的何道长告诉她这叫做水猴子，也就是俗称的落水鬼，还让她记住模样，也许以后会碰到，但如何应付却没说。

五郎游浮在水中无法旋转，水的阻力也让他的砍杀力道大打折扣。

---

1　也是不知何朝何人所著，且虽为《异兽全记》，残本存世的只有《水怪录》这一篇。其中记录了水猴子、无角花蛟、水晶水母、入水兔这四种怪异物种。

尽管这样，五郎的第二个目的还是达到了。一大群的落水鬼轻易地就捉住他并簇拥着他往一边的黑暗水域中而去，只留下七八个怪东西依旧围着鲁天柳。

鲁天柳知道自己肯定游不过这些怪物，所以摆脱它们只能采取其他的方法。她并拢双腿双手，就像是个没有生命的人形柱子，往水底直直沉落下去。这样的现象让那些落水鬼直翻怪眼，也许是在表示奇怪吧，所以它们都没有扑上来，只是围绕着她一同往水底深处沉落。

越往下去，鲁天柳清明的三觉变得越发敏锐。她之所以往下沉落，也是因为三觉隐约感到下面有什么在召唤她。那不是声音，不是影像，也不是什么刺激，只是在平静的水下似乎有什么东西将一些信息直接输入她的脑中。

鲁天柳没有沉到水底，她在一个丘形物体上落脚。刚开始鲁天柳还吓了一跳，以为站到了一个巨大的乌龟背上呢，但她马上就触碰到丘形物体上一个凸起的矮矮圆柱，这让她确定脚下的不是龟背。

那么这是什么呢？菟丝藤，阴寒气，丘形物，圆桩顶帽，这些东西在鲁天柳的脑子中勾画出一个构筑，一个世上很多水里少有的构筑——坟茔。

深水之中，周围更加黑暗，而那些落水鬼的眼睛反倒将距离拉远了，缓缓地围着鲁天柳绕圈子。

而鲁天柳没有理会那些落水鬼，不知道为什么，这一刻她的意识里突然没有了一切杂念，她吐出一串气泡，让自己的身体能够再变得沉一些。然后慢慢蹲下，用手撑住脚边的坟顶。那坟顶入手的感觉很奇怪，凭着鲁天柳超人的触觉竟然摸不出那是什么材质的。

水的浮力让鲁天柳身形重新离开坟顶，于是她将身体放横过来，手往后轻轻一划带，身体便朝前下方滑去，然后轻轻地攀住那坟顶的圆柱，也就是坟帽。依旧摸不出那是什么材质，但感觉极其阴寒。圆柱上有花纹，这花纹鲁天柳稍一摸索就辨出是“腾龙行云纹”。坟头之上竟然饰以龙纹，那这坟中葬的到底是什么人？

鲁天柳辨摸出龙纹的过程中，可以觉出有阴寒之气从坟帽上传出，并顺着她的掌心往上延伸，直冲她的双臂、双肩、双颊，直上到天灵，最后再汇落入泥丸宫。

这阴寒之气给她的感觉是惬意的、舒适的，有那么片刻她感觉自己全身都是晶莹剔透的，仿佛身体从里往外都被清洗了一遍。

她的三觉变得更加灵敏，这是鲁天柳在阴寒之气入体后首先肯定的事情。因为她的左手中指竟然在繁杂的“腾龙行云纹”中间摸出很浅很淡的一行竖列文字：“俗僧应文之墓。”这几个字她连摸三四遍，不是为了研究思考这“俗僧应文”是谁，而是这六个字给她超常触觉不一样的回应。六个字中的“应”字相比而言稍稍突出一点点来，这一点点的差异就是摸索了一辈子的盲人都不一定能觉察出来。可是鲁天柳行，而且是刚刚才行的。

鲁天柳的手指在“应”字上停住，似乎是不由自主地停住；鲁天柳的手指在“应”字上按下去，似乎是不由自主地按下。所有一切就像一棵垂柳在风中拂扫脚下的墓碑一样自然。

那坟帽的圆形顶盖悄悄滑开，露出一只古锈斑斑的玉盒，发出幽幽然的弱光。这光线很弱，却足以让鲁天柳看清玉盒盖子上面那个飞焰的刻纹。面对这玉盒子，鲁天柳觉得似曾相识，因此她想都没想就伸手将玉盒从坟帽中取出。

也不知为何，自从鲁天柳踏上这坟茔的顶面，竟然就像个不懂坎面的木瓜，全不顾坎子家的规矩与忌讳。她的动作是莽撞的、急切的，可神情却是那么从容和自信。什么事都没有发生，鲁天柳的感觉是正确的，这下面虽然有阴气，却没有污秽霉涩。坟茔是洁净的，没有坎，更没沾过血腥。看来这坟上的菟丝藤到今天为止都不曾有机会吸到一个活物的鲜血。

鲁天柳将那玉盒从对襟衣服的空隙中揣到让菟丝藤畏缩的怀中，贴肉而放。这玉盒的温软和刚才她抚摸坟头时一样，让她觉得惬意舒服。

剩下的几个落水鬼动了，一起往坟茔围拢过来。它们刚一动作，鲁天柳马上就感觉到了，但她没有任何办法。虽然她有极度敏锐的三觉，却没有极度快速的动作，她只能抓住坟头的圆柱，静静感觉那些怪物的行动，以便尽自己所能做最后的纠缠。

落水鬼不是冲着鲁天柳来的，它们先从各个方向围拢在坟茔的下方，然后回到与坟茔水平的方位，往一个方向用力游动起来。

到坟茔下方是为了提起些长条东西，那些东西发出“叮当”的金属声响，很像是链条之类的物件。那些东西应该很是沉重的，这点鲁天柳从它们被提起的声音以及落水鬼游动的声音可以知道。

此时鲁天柳真的像是踏在一个巨龟背上，随着落水鬼游动，那坟茔也像个巨龟慢慢游动起来。原来落水鬼们在拉着坟茔移动，它们这是要往哪里去？

就在此刻，她听到了更为巨大的声响。那声响就像是在这片水域的四周引爆了炸石开山的药雷，不是一个，也不是四个，而是一个接一个绕水域整整一圈。听得出，这响声极有规律，方位也极为圆整，就从这些方面来判断，该是有什么巨大的坎面动作了。

拉动坟茔的落水鬼对这样的现象反应很大，明显慌乱起来，但它们没有停止游动，依旧向着一个方向全力地游动着。坟茔的移动速度在加快，因为周围不断有落水鬼汇聚过来，与开始那几个落水鬼一起拉着坟茔往前游去。

前面的一处地方有斑驳光线从上面落下，鲁天柳借助这不太明显的光线以及自己清明的三觉，将这下面正在发生的状况弄了个明白。

原来自己脚下踩着的是个水下移茔，这坟茔的四周有许多条粗重的链条，而那些落水鬼正牵着链条将坟茔拉走。

鲁天柳见过移茔，那是在云南独龙江边，那里有些氏族依旧用水葬的方法。用原木搭建一座矮小屋形的筏子，将死者放入其中，随急流而走。像这样沉于水中的移茔鲁天柳没见过，只听说过。陆先生就曾经和她讨论过类似事情，说是风水学中有将上辈先人坟茔安置重宝后没入水中，以期后代能发达。这一般都必须是具天龙命相、灵龟命相、神鲤命相的先人祖辈，但其实具有这样旺豪命相的，就算不沉水下，寻个藏风聚气的中上阴宅地，也可以佑护后世得福。特别是具天龙命相的，那一般是皇家正统血脉。如果采用这样的葬法就只可能是蒙难失势之龙，流落在江湖民间的皇家血脉，而且还是存有某种目的，必须隐匿踪迹不能为人所知。

想到这里，鲁天柳忽然再次摸了摸坟帽上很浅很淡的刻字：俗僧应文？一个和尚，也就没有子孙后人，无须图他龙气荫庇后世。那这样的葬法是为了什么？是在逃避什么吗？还是要隐藏什么？

落水鬼们拖着移茔已经到了那些斑驳的光线直射范围内，浑浊暗淡的光落在鲁天柳的头顶，让她心中升腾起很多的希望。她双腿在坟顶上一蹬，身体直冲向一个透光的空隙。此时嘴里的猪尿泡内已经没有多少空气了，她要想继续随移茔前行找到些答案的话，就必须尽量节约尿泡中的空气。于是鲁天柳决定到水面上去换口气，然后再下来跟着落水鬼们行动。

当然，鲁天柳心中最期望的是这些落水鬼可以带她逃出生天。不是她狠心要丢下其他的人，而是鲁家的规矩就是这样，各派坎子家的规矩也都是这样。因为只有你逃出坎子，出了生天活了命，才有带出坎子秘密的机会，才有可能救出其他的人。自己还没能逃出就感情用事去救其他的人，最终只能是将自己性命一起留下。坎子家要用理智和智慧制造坎子，也应该用理智和智慧逃出坎子。

再说鲁天柳现在有一只移茔顶帽中取出的玉盒在身上，不知道为什么，她的直觉告诉她这东西十分重要，就像这驭龙局相中的龙宝一样重要。有这个在手再去救其他人的性命也许会变得简单。

鲁天柳是撞开一层不算薄的冰面冒出头来的，出来后她发现自己是在一个小小的池塘里面，这池塘一眼就能看出是园子里用来养睡莲和金鱼的。可是这里的水怎么会如此寒冷？而且奇怪的是水面上没有冰层，而在水面下一尺多的深度倒有冰层。这应该是用极寒之物先将水面冰封，然后再在冰面上浇上水。

半天的经历告诉鲁天柳，这座园子之中什么奇怪事情都会有。所以她对这些已经提不起兴趣，也没时间在这些问题上费什么脑子。可是等她再次没入水中，朝已经移动到前面去的移茔游过去的时候。一股寒流袭来，差点将她身体内的热血都冻成冰。

有怪异！在这水下某个地方有能够制造出极度寒冷的东西。这里不止是片绿黑的水域，还是一片极度寒冷的水域。很难想象，如此黑冷的水中藏着的到底是什么样的邪妖恶魔。

移茔不动了，落水鬼们都四散着躲避寒冷去了，只余下那坟茔在水中一起一伏地飘荡着，而且在坟茔的表面迅速起了一层薄冰，幽幽地透着白光。

寒冷的水域和其他水域的区分是十分明显的，鲁天柳手脚并用，从那股寒冷中挣脱出来。她的三觉已经在磨炼中迅速提高，所以她感觉出这里冰寒是斜着分布的一部分区域，而自己从井中刚下水时遇到的冰寒，则是靠水面的一层分布的，可能是作用区域的集中度不同，这里比刚下井处还要寒冷许多。

鲁天柳要想从水道下找到脱出的希望，就必须依靠这些牵拉移茔的落水鬼，只有它们最熟悉这水里的环境。于是她再次冲入寒冷的水域，往那移茔游去。

果然是比井口更加寒冷，但由于鲁天柳这次是有着心理和生理上的准备才冲入其中，所以觉得还能承受。而且她清明的触觉还感应到，那寒冷度似乎在一点点地减弱，虽然这减弱的程度是极不明显的，但确确实实是在减弱。即便如此，鲁天柳的面颊、嘴唇还是迅速青紫起来。

在寒冷的水中她的动作多少要缓慢些僵硬些，等到了移茔旁边时，鲁天柳觉得自己真的有些承受不了了，在这样的深度她已经弄不清哪里才是不冷的水域。她只能用力睁着有些麻木的眼皮艰难地张望，寻找其他可区分的标志。

很快，鲁天柳确定了行动的步骤。她先潜到了移茔的下方，边游边退下手臂上的回头绳扣，瞅准一根铁链的头子将绳扣套上并收紧，然后朝着离自己最近的一只落水鬼游过去。

虽然鲁天柳现在已经冻僵到无法感受寒冷，但舍弃移茔躲避寒冷的落水鬼眼下的位置肯定是在不冷的区域，所以只要找到落水鬼也就能逃脱出极寒的范围。

脱出了寒冷水域，鲁天柳的身体一下子变得有些瘫软，她轻轻地荡在水中，单臂划动，往前慢慢游动。牛筋绳那头拉住的链条确实沉重，她的力量只能将链条稍稍提起。

鲁天柳只能采取其他的方法，她放长牛筋绳，突然翻身往旁边落水鬼的脚下游去。那落水鬼没有动弹，大概是因为它搞不清楚鲁天柳到底要干什么。鲁天柳在水里的动作速度并不快，但却是异常灵活的，她可以随意改变自己的行动方向。

落水鬼看着鲁天柳从自己脚下过去，它正要回头继续注视鲁天柳要往哪里游去时，鲁天柳突然改变方向，一个之字形的绕向，面对面地出现在落水鬼的面前。

落水鬼受惊了，迅速往后游动，迅猛有力，可是游动中落水鬼感觉到脚下异常的沉重，而扣住链条头子的牛筋绳也在不断受力抻长。

鲁天柳在绕向朝上的过程中，将牛筋绳做好的一个双环扣套在了落水鬼的脚脖子上。

一个落水鬼的力量似乎还不能将那移茔拖动起来，于是这只落水鬼明显表现出惊慌和挣扎。这情况惊吓了其他落水鬼，一群猴子般的影子一下子窜游出好远。但这情形只持续了瞬间，那些影子就又窜回来，它们围住自己的同伴，拉住它试图挣脱背后的绳子。

移茔动了，在几个落水鬼的拉扯下缓慢地移动了。这情形可能让落水鬼们意识到些什么，它们的拉动更加用力了。

旁边一个黑影迅疾地窜到移茔的下面，捞起一根链条往前拉动。鲁天柳看得见，是一只落水鬼。大概是因为那移茔有一部分已经移出冰寒的水域，所以它便迅速上前继续履行自己的职责。

越来越多的落水鬼拉起了移茔的链条，移茔再次像个巨大的鼋龟一样往前移动起来。

移茔又朝前移动了好长一段距离，鲁天柳发现这下面不止是一个河道，而更像个湖泊，范围十分宽阔。于是她伸出手掌，推波而出，然后聚气凝神，超常的触觉竟然没有感觉到水波的异常波动，这说明出去的水波没有碰到任何阻碍。

越往前，水质好像越浑浊了，水面上还有许多东西在不断往下掉。

虽然水下很是黑暗，但行进的过程中，鲁天柳还是看到一些物件，那是些高大的方形柱子。那些柱子有的岿然不动，有的摇摇欲坠，看形状和大小和刚才吓走落水鬼的方形黑影差不多。

前面又有一些光线从上面照射下来，像是许多灰白色的方形格子，格子里好像还有红光闪烁。鲁天柳再次朝上面浮去，她不会放弃任何一个换气的机会，前面的路还不知道有多远。

她从一个方形格子冒出头来，这次没有撞到冰面也不寒冷，可是上面的情形却让她大吃一惊，因为她看到了这所宅子的正厅厅楼和已经烧得焦黑的轿厅。啊！自己竟然是在四水归一的天井下面。

刚才陆先生在天井中如卧泥沼地伏在青石院面上，原以为陆先生情形和自己三觉获知的一样，这下面有阴晦怪异的东西在抓挠撞击。现在她明白了，陆先生当时确实是如卧泥沼，他的动作稍大就会陷下去，陷入漆黑阴涩的寒水之中。

鲁天柳明白的还不止这一点，她有种感觉，这个驭龙格、盘龙布局的园子不是冲水而建，而是整个都建在水上。那些巨大方形柱子就是用来支撑这园子的撑柱。如果真是这样，那么从这水下应该可以游到外面河道里去。

可是那些柱子为什么会倒塌或者摇摇欲坠？如果是对家要自毁园宅，这些柱子应该一起倒下，不会东一根，西两根，欲倒不倒的。要不是对家要自毁园宅，那么是什么力量能让这些巨柱呈现这种状态？

鲁天柳急切地深吸一口气，再次下到水里，答案也许就在下面。

水中是浑浊的，那是园子基脚的土沙。光线是暗淡的，因为时辰已近黄昏，这个天井已经被厅屋墙壁的阴影掩住。即使是这样，刚下水的鲁天柳还是看清了面前的情形，并被这情形惊呆了。

泡胀得像个透明水缸的女活尸贴着鲁天柳的鼻尖飘过，晶莹的“尸茧蠨蛸”在股强劲的暗流中快速盘旋。不远处一群黑乎乎的东西堆积在一起并快速地扭动着身体。

这些只是让鲁天柳惊呆了，而清明三觉的发现让她失去了所有的信心，包括逃出和生存的信心。

# 第七章　七狸锁山塘

相传，元末时刘伯温来苏州，感到山塘河长贯卧伏在白堤前，状如巨龙，善于阴阳占卜的刘伯温预感到天下要重整，而这得天下之人必须驭龙才可成龙。于是他顺应天意，就施法在山塘桥至西山庙桥沿途的七座石级拱桥对直处分别设置了七只青石狸头，并赋予美名……据说这七只狸有千斤巨锁功能，能牢固地锁住龙身。刘伯温破风水，锁死龙形，以便驭龙之人得手。这就是“七狸锁山塘”的传说。

## 锁龙栅

鲁盛义没有马上爬上岸，而是趴伏在木提箱上往池塘中间游过去，他这是想找个更安全的地方上岸。自己虽然射中那个红狸子面具的女人，但这些高手往往都是百足之虫死而不僵，说不定临死的一个挣扎就会毁了自己。而且凭自己几十年来和对家打交道的经验，对家人都是些诡招百出、惑诈无不用其极的狡狯之徒。

他原打算是从池塘对面上去。因为目前为止，这水中应该还是比较安全的。可是在他往岸边游动的时候，突然发现了一个奇怪的事情。他摸到了冰面，在水面下两尺左右是一层冰面。自己游动的墨绿色水道是冰面裂开后呈现出的水道，要是没这裂开的水道，刚才鲁恩想要潜入水中就必须先砸破冰面才能下去。

怎么会出现这种情况，这种设置到底能派什么用场？不知道，因为不知道，所以鲁盛义害怕了。他决定放弃原来的计划，绕到石头平台的另一侧上去。

石头平台的另一侧也有冰，不过是碎冰，因为这里的冰面被刚才平台断开、小楼陷下的大动作震碎了。

鲁盛义中了女人一掌，受了不轻的内伤。他现在觉得气喘不出、痰咳不出，整个肩背部无法用力，只能一手扶着木提箱，另一只手钩住石头栏杆，慢慢往岸边移动。移动中，他的手经过鲁恩系在栏杆上的回头绳。等他人移过去后，那回头绳的绳扣悄然松脱了。

刚刚踏上岸边，鲁盛义又一口紫黑的淤血从口中喷出，眼前金星飞舞，腿脚发软，差点就晕厥过去，但是他在心里不断提醒自己：“现在还不能倒下，该做的事还没做成，柳儿他们也不知道怎么样了。”

脚下的疲软让他脚步一阵踉跄，于是他索性扔下木提箱，往前跌走几步，伸手扶住面前已经发黄的院墙。

鲁盛义还是倒下了，不是他支持不住，是因为他扶了个空。面前的院墙突然之间“轰”然变作一堆碎砖，鲁盛义重重摔在碎砖堆上。

他扶着碎砖堆坐了起来，不知道自己是不是在做梦，或许是进入了迷离的状态，眼前的情景全变了。

鲁盛义所在之处能看到的院墙全都不见了，所有被院墙遮挡的景象都能见到了，一座书轩出现在他面前。书轩连接两条对称长廊，后面远远可以看到一座不高的假山。假山顶上有座琉璃瓦的亭子，两侧是对称的两棵巨大古柏。

这些园林布置是一个不多见的至高规格的局相，亭子是龙额，古柏是龙角，长廊是龙须，从位置上看，龙鼻应该在书轩的前后。真的不多见，要不是知道对家是怎样的身世背景，怎么都不敢往这类局相上去想。以前虽然他也见过这局相的描图，但今天真的处身实局之中，尤其觉得震撼。

左侧的长廊有个人在蹒跚而行，看身影和陆先生很像，只是背上、腿上多了些疙里疙瘩的东西，头顶发髻变作了一团血汪，浑身上下一片烟熏火燎。说实话，在鲁盛义眼里那人更像个鬼魂，陆先生的鬼魂。

一晃间，鬼魂样的人消失在了长廊里。于是鲁盛义觉得自己真的迷离了，视线迷离了，感觉也迷离了。他感觉自己应该先睡一会儿，把自己的脑子理理清楚，然后再将面前发生的一切细细分析下。

他仰面倒在碎砖堆上，闭上了眼睛。

眼皮才刚刚阖上，那塌下小楼的二层窗户里再次闪出一个戴面具的脸，戴着银色狸子面具的女人脸。脸一出，一块黑色的东西就往鲁盛义这边飞来。鲁盛义一动不动，直到那东西落在他的小腿迎面骨上，他才稍微抖动了几下。

接着二层窗户里飞落出一个银色身影。这身影是华丽的，光彩夺目的，就像是空中落下的闪电，直对着鲁盛义射下。

鲁盛义没有动，眼睛依旧闭着，但是他的右手却也飞出了闪电，好多道闪电。

鲁盛义知道这里有个戴银色狸子面具的女人，他从炸鬼嚎中脱出后，站在花荫小道那里曾看到这女人站在石头平台上。虽然当时他的大多数注意力都被那个上了岸藏在荷叶缸里的落水鬼吸引了、恶心了，但这女子的模样也是不容他忘却的。

落水鬼入水了，女人也就不见了。鲁盛义刚才在这里寻查了一遍，始终没有发现什么可藏身的地方。这样的结果反而让他更坚定地认为那女人就躲在这小楼里。坎子家搜寻敌人藏身之处时，如果无法寻到，一般就将正点定在可能性大的地方。在这里，正点除了小楼真没有第二处。另外还有一个原因，观明阁暗合日月，红色为日，银色为月，既然红狸子面具的女人出现了，那银色狸子面具的女人肯定还在这里。

江湖是个大学堂，这里学的东西是一些人难以想象的。而且这里可以学习的范围也很广，从最崇高的血性义气到最低下的卑鄙下流，无所不含。

鲁盛义在这江湖上学到的并不多，是因为自从接受了鲁家流传下的使命就不适合交太多江湖朋友。鲁盛义现在用的伎俩还真算不上是什么江湖手段，只是要了一点小聪明，演戏装样子而已，这些连小孩子都会做。但是和一些小孩子不同的是，当一块深褐色的铁蚁木块，在一个高手的投掷下，有棱有角地砸在小腿迎面骨上，鲁盛义竟然哼都没哼，只是恰到好处地抖动了几下，这才是让小伎俩得逞的关键。

可是银色狸子面具的女人是有防备的，而且鲁盛义右手一直握着的“十形碎身刨”很容易引起别人的注意。刚才对红狸子面具女人的偷袭如果不是躲在水里，加上有突然出水的鲁天柳让那女子分神，鲁盛义很难有机会。

现在虽然鲁盛义毫无征兆把刨子里剩下的九张刨刃飞出，但九道形状不一的闪电全被银色狸子面具的女人一一躲过。

九道闪电一点都没能阻止那女人扑出的速度，也没能改变女人的扑出路径。这给了那女人一点意外惊喜，鲁家做出的攻击武器并没有她想象中的威力，而这一切都在鲁盛义的意料之中，他发射前微微改变了刨把的角度，刨子的发射力度减小了，他也稍稍放歪了刨子的方向，这样飞出的刨刃才可以被轻易躲过，而女人扑杀的势头也才能够不减。

必须出手了，防守或者攻击，除非鲁盛义自己想死。

鲁盛义目前还不想死，所以他果然出手了，出的是他握住木提箱拎把的左手。左手将拎把提高了一点，同时拇指按动机括，端头飞出和银色身影一样华丽光彩的银线。

女人无法躲让了，虽然那些银线的准头并不好，甚至有些四散乱飞，可是太多了，太密了。她只能用宽大的袍袖遮住面部，而身形依旧不变地落下。

那些银线刺透衣服，刺破皮肉，虽然不是太疼，可是让人心怯。江湖上这样细小的武器要想伤人必须淬毒，这银线会例外吗？

女人的脚本来是对准鲁盛义小腹下去的，鲁盛义不是真正的练家子，没有反击和躲闪的技击招法。所以他只能下意识地保护自己，蜷起双腿，尽量护住小腹。

女人的脚落在了鲁盛义的膝盖上。一声脆响，鲁盛义和那银狸子面具的女人都清楚听到。女人知道踩到的不是小腹，这不需要眼睛看，从自己身形的高度和脚下的硬度就可以知道，从她自己踩踏出的声响也可以知道。于是她借助这踏实的一脚回弹，倒纵而去。

女人逃走了，身中这么多银线她竟然还能逃走。

女人逃得很急，不是那些银线对她造成了多大伤害，是因为她害怕那些银线会对她继续造成伤害。她要找人看看针上有什么毒，她要抓紧时间想办法解毒。

这些银线没有毒，它们只是一些普通的钉针。木刻时用它们将画样固定在木板上，然后可以依照画样刻出图案初形。像班门这样的忠厚匠人家，就算设计出再巧妙的暗器机关，都是不可能给暗器淬毒衣的。

戴银色狸子面具的女人不知道这些，所以她要急急地赶到池塘的另一边，找到能帮助她的人。

池塘的水下有冰层实面儿，这一点女人当然是知道的，所以她要直接从池塘中间过去。于是脚尖在池边的石沿上一点，毫不犹豫往池塘中纵身而去。

女人的脚踩到水中，在冰实面儿上借力继续往前纵跃。可是这次感觉踩得跟以前不大一样，冰实面儿好像在自己的踩踏下破裂了。女人本来纵跃就很远，但一次水中的踩踏仍是无法到达池塘对面的，她还需要在水中再借一脚力。

可就是这第二步借力她发现彻底不对了，因为水面下没有了可踩踏的冰实面，只有一个半沉于水中的人，像是半浮于水面的尸体。那尸体显然是死不瞑目，一双眼睛睁得大大的，直直平躺在水面下一点。

女人已经来不及有更多想法，更来不及变换动作，她只能在这具“浮尸”上点踏一下，借个力跃上对岸。

银色面具的女人再次跃起时，她觉得自己这一步带起的水花大了些，搞得下半身都有些湿了。池水有些凉又有些热，不知道怎么会有这样奇怪的现象。另一个奇怪的事情是，女人这次往池岸上跨去的步子变大了，可是跃出距离却变小了，堪堪要够到池边石沿，脚掌却往下直落，紧贴着石沿踏了空。于是为了不掉入水中，她就只有身体往前，将上半身摔趴在河岸之上。

行动中突然出现的变故让女人发出一声高亢的呼叫，音腔长长的脆脆的，就如同船娘哼唱的小调，但她身体重重的摔落声和溅起的水花声断然将她好听的呼叫掐断。

死人，尸体，这些都只是女人一瞬间的想法。等到她刚踩踏到那浮尸，还没完全借到力的时候，尸体的眼睛眨了一下，嘴角也冒出小小的两个气泡。浮尸动了，扬起了他的右臂。

女人的纤足带起的水花并不多，只溅湿了她的小腿。可水中突然冒出的一道刀形水花，溅湿了她的下半身。

刀形水花从女人的两腿中间划过，劈开了女人的裆部。

于是热血让女人感觉到暖暖的温度，于是女人感觉到跨出的步子变大，于是女人的脚掌突然无力踩下，只能摔趴在河岸边的石沿上，任由下半身的鲜血染红了墨绿的池水。

水下的“死尸”冒出了水面，是鲁恩。他真的像是个鬼魂归来，脸上一点血色都没有，身体也是僵僵的，水珠顺着他的发角和胡须不断滴下。鲁恩狠狠盯视了一下跌坐在碎石堆上的鲁盛义，然后猛然张大口深深吸了一口气，再次悄无声息地没入水中。

鲁盛义没有清楚地看到鲁恩，却清楚地看到了鲁恩的眼睛，那眼睛里藏带着些什么也多少看出一些，但是他没有理会这些，也没有时间理会这些，因为突然间他想到自己屁股下坐着的这堆碎砖叫什么了——“锁龙栅”。

这道倒塌的墙在园子的布局上确实是个“锁龙栅”，是个可以藏瑞防乱的风水墙。

从这方面看，它不是坎面，只是个局相而已。

可鲁盛义心里却觉得这绝不止是一道风水墙那么简单，它应该还起到其他什么作用，但除了风水，它还能用来锁拦些什么呢？

鲁盛义再次仔细打量了一下远近的布局，龙角柏、龙额亭、龙须廊、龙鼻轩，应该还有两个龙眼潭，只是由于屋楼廊墙的遮掩，从这里看不到。他曾经仔细研究过这样的布局，指望能在和对家的对抗中派上用场。他更仔细研究过这些构筑的建筑特点，远远地从外形上他就能看出到底是风水布置还是消息坎面。

鲁盛义再次肯定了自己的判断，“锁龙栅”是一道用来锁拦的坎面。因为其他那些龙角、龙额也都是暗藏杀扣的坎面儿。于是他扒开碎砖看了一下残余的墙角，交叠砖中间有滑道，而上面倒塌的碎砖中却没有破残的装置。这是个倒置“锁龙栅”，坎面装置是朝下的，它要锁拦的东西在地底下。

但在他肯定自己的同时心中涌出百分的疑惑，对家自己就是皇脉，园子摆的又是龙相，怎么会不合情理地使用这道布局？这地下又有什么东西需要锁拦？

没容他思考太多，就听到身后水面浪花一翻。鲁盛义赶忙回头，见水里又冒出个人来。和鲁恩一样，面色外形也如同归魂尸。

鲁盛义定睛一看，惊讶地高声叫道：“你怎么也在底下？”

从水里冒出的人，打进这园子以后，鲁盛义就没见过他，现在他忽然莫名其妙地从水里钻出来，怎么不叫鲁盛义惊讶。谁呀？关五郎。

关五郎在水下把一个换气的猪尿泡给了鲁天柳，自己随即便挥刀朝那群水猴子杀去。

水猴子、落水鬼，要是在岸上它们可能还真不是五郎的对手。可这是在水里，落水鬼的力量入水才能得以发挥，而且是陆地上的十几倍。五郎却恰恰相反，在水里的力道要大打折扣，单是水的阻力就让他劈砍的速度变得迟缓。而且还有一点，水中五郎的身体旋转不起来，无法累积砍杀力道。这次，天生神力的五郎遇到了比自己力量大出许多的对手，而且是一群。

刀离着劈砍的目标还有好长一段距离，就已经有两只长鳞片的手从旁边伸过来抓住了他的刀背，刀竟然在一抓之下就停住了。不知什么是怕的五郎害怕了，自己最有信心的一把子力气在对手面前竟然变得如此乏弱。

五郎只能紧紧地抓住刀杆，现在他所有力量中只有这握力在水中没打折扣，于是五郎连刀带人被拖了出去。

五郎本来也想松手丢刀脱身而逃，可马上就发现已经来不及了。自己的背后竟然有一群落水鬼簇拥着，好多只带鳞甲的手轻握着他身体的各个部位，随时可以将他撕成许多块。

这一群落水鬼带着五郎是往斜下方游过去的，看来它们的意图还是要将五郎掩入淤泥之中。

水面上隐约出现了一道宽宽的光带，在这光带的映照下，五郎看见下方有一个晶莹剔透的东西，淡淡的白光一闪一闪的，非常美。可距离那东西还有一段距离，五郎就已经感觉到刺骨的寒气，和他初下到井下时的感觉一样。

抓住他身体的那些手突然一齐用力，动作很是一致，同时将他身体掷向那个发光的东西。

五郎被掷出的前后竟然没有一点可挣扎的余地，直往那东西上漂去。距离其实还很远，五郎的关节就已经全部僵硬，无法伸展。眼见着手中的刀凝起了一层薄冰，手掌和刀杆牢牢粘在一起。

身体在一直往下落，但五郎没有一点办法阻止，他再笨都知道自己马上要被冻死了。

而那些落水鬼将他掷出以后，随着他身体往那发白光的东西不断接近，它们也就变得活泛起来，上下左右巡游窜行的范围越来越大。看来它们是利用五郎的身体阻挡些什么，然后它们可以快活地游动。

就在五郎快要确定自己的呼吸也被冻住的瞬间，一个深色的人影直冲过来，脚在他身上用力一踹，然后借这一踹之力马上倒游回去，而五郎在这一踹之力的作用下往旁边飘去，他立时感觉到温暖。其实这冬天的池水怎么可能温暖，只是刚才太过寒冷，相比之下让脱离那寒冰之苦的五郎觉着了温暖。

白色东西发出的寒气是放射状的，随着五郎的身体不断靠近，那东西发出的极度寒冷的范围也就越来越小，所以落水鬼活动的范围也才会越来越大。可现在五郎突然改变了方向，这里原有的寒冷又回来了。落水鬼们被这突然的变故弄傻了，只得马上掉头四散逃走。

关五郎毕竟体能好，恢复得快，没多久就从寒冷里恢复过来。他定睛看看水中隐约的深色人影，觉得有些像师父，但又不敢肯定，因为他从没见过师父在水中是怎样的形象。

## 冰精寒

那人真是鲁恩。他下水有好一阵了，但这么长时间并没有发现什么有价值的东西，也没碰到什么可怕的玩意。正准备上去时发现右前方远远的水域中一团骚乱，但他没有敢往那里靠近，他想等一会儿再说，等待有时就意味着渔翁得利。

水中的等待不同于陆地上，不可以用耐心来衡量。因为还有生存的条件，他必须换气，要不然这样的等待就意味着淹死。

鲁恩是在准备升到上面换气时发现水面下的冰层的。他这才意识到，自己刚才在平台上看到的水下闪电，其实是这冰面裂开后延伸的裂纹，自己原来是从一个冰面裂开后的水道下的水。难怪在池塘边与那三个怪形人坎一战，那藏在水中的人坎可以沾水即起，根本不会沉入水中，原来这水下有冰层实面。

鲁恩的换气方法和别人不大一样，他是仰面平躺，只将鼻子露出水面，这样不容易让岸上人的发现，是水下埋伏偷袭的最佳方法。

等鲁恩再次悄然沉没水中时，他又发现弯月中的“圆太阳”不见了。是自己现在所处位置看不到了，还是那东西已经移走了？

于是他开始小心翼翼地贴着冰面移动自己的位置，看看那东西到底还在不在。

贴在冰面下游动，让他感觉到水温的很大差别，贴近冰面的水温和下面的水温好像有个隔断带，但这隔断带不是一条直线，而是一条辐射状的斜线，所以这里的冰层有厚有薄。薄的地方可以一拳破开，厚的地方就是石砸斧砍都不会破裂，难怪那水中人坎可以借助冰面蹿纵跳跃。

一大群黑乎乎的东西往他这边快速移动过来，由于是在很深的地方，池塘上落下的光线亮度不够，很难看清楚那是什么，但鲁恩猜测是和荷叶缸中出来的落水鬼差不多的东西，心一下提到了嗓子眼。于是收起四肢的动作，悄没声息地往水底滑去。

他是斜着落下水底的，位置离那个晶莹剔透的东西很近。本来早就应该看到那东西，因为感觉到寒冷一时反而未能看清。但是他与那东西之间隔着一个黑色的方形大柱，阻碍了视线，也挡住了寒气的传递。

鲁恩随手将嘴里咬着的回头绳扣在方形大柱的一个凸块上，他知道，如果要打斗、要挣扎，这回头绳终归是累赘的。假如自己应付不来了，到时可以借助这绳子逃到岸上。他从大柱背后偷偷查看那群落水鬼要干什么，看到的却是一个人在靠近那晶莹剔透的东西，而且转瞬间就被冻僵，快要死了。

这晶莹剔透的东西就是所有寒气的来源。

那东西发出的暗白色寒光让鲁恩看清楚了快冻僵的人是五郎。但他没有马上行动，而是先谨慎地目测了一下自己、五郎、放寒气的东西以及落水鬼们之间的距离，这才选择了一个合适角度快速行动。

当鲁恩拉着五郎再次钻出水面换气时，是在一个井里。鲁恩不知道这里是什么地方，五郎却知道，是龙鼻，只是他一时分辨不出这里是左鼻孔还是右鼻孔。

“五郎，在下面有没有找到什么东西？”鲁恩有些急切地问道。

“不知道，柳儿先下的，我一下来就光和那些怪物打架了。”五郎说的都是实话，这一点鲁恩是不会怀疑的。

“那现在你记住我说的，刚才喷冷气的东西叫‘冰精吐寒’，要破它就必须封它的吐寒口，你想办法从侧面靠近它，将它的封口给盖住了。”鲁恩说话时的声音有些颤抖，因为这井口的水也真的很冷。他尽量踩着水将身体往水面上拔，因为下面有一段水层更加寒冷，应该尽量离那里远些。

“冰精吐寒”，是域外海客带来的一个传说。说是在大海的南边，有一个极热之地，时常山顶吐火，喷出血红火石，能将大片海域煮开。将此石携带至北方极寒之地，此石能吐尽灼热尽吸寒气，等它寒气吸足，石头便不再僵硬，入手如棉。但只是传说，没有人摸过是硬是软，就是摸过，也都在瞬间变作一块冰块。这石头叫做“冰精棉石”，其寒气只有用冰魄寒玉可以封住，因为冰魄寒玉的密度可以阻碍寒气的散发。在冰魄寒玉做的密封容器上设个可开启的口子，让寒气按需要的角度方位和范围射出，这就是“冰精吐寒”。

鲁恩是定海人氏，从小就生活在海边，早就听航海人讲过这样的传说，可是他一直都不信。直到六年前与鲁盛义到浙江天邛山落石瀑与对家争夺瀑布下的“镜石天书”，他们比对家先寻到点儿。可是百尺高的瀑布，不止有急流直冲而下，更不断有石头随水落下，另外更加可怕的是水中还有一种剧毒的水虱，沾肤见血人即亡。他们在那里想了许多办法都掏不出宝贝。于是回头到太湖边找渔夫“带刺鼋鳖”俞有刺借“刺水铜甲[1]”再来取宝。可是等他们重新来到时，“镜石天书”已经被人取走，只留下百尺的瀑布还稀稀落落地流着，瀑布和下面水潭结的冰还没有全化。当时是五月天气，能将这瀑布和水潭都结成冰，除非是神仙。鲁盛义觉得也许真的是天不助我，黯然回头。鲁恩当时曾想到“冰精吐寒”，却没有说出来，他始终觉得那是不可思议的东西。

直到现在，鲁恩其实还是不确定那东西是什么。如果真是“冰精吐寒”的话，自己的方法也不知道行不行，但如今也没有其他办法，只能

1 姜子牙所制，取材为纣王炮烙铜柱之铜，因为此铜中注有被炮烙而死的人们的精血和怨怒之气。

用这样的蠢招勉力一试。

他们再次潜入水中，五郎对师父的吩咐也是死不回头的，他先转到那个方形大柱后面，然后紧贴水底向那东西靠近。“冰精吐寒”看起来像个坛子，那么是坛子就肯定有坛子口。五郎清楚自己就是来盖坛子口的，可是用什么盖呢？

他围着坛子口转了几圈，没有发现盖坛子的机括。于是他在坛子身上寻找起来，也没有发现什么。五郎只有一个地方好查找了，那就是坛子底。

粗人就是粗人，他只知道做事，却很少琢磨事。于是五郎想都没想就将坛子倾斜了一些，往坛子底看去。

这么一个倾斜，五郎好像听到一点“哗啦啦”的链条抖动声音。他也没在意，只顾自己仔细查看坛子底面。依旧什么也没发现，等再抬起头来的时候，他才发现眼前多了好几个形状相似、大小不一的坛子。

六个，又出现了六个坛子，有高有低地浮在水中。可以模糊地看到，这些坛子之间有东西连着，像是根粗粗的链子。

五郎怔了一下，他意识到自己可能犯了错误，但到底犯了什么错误却不清楚。他将手中倾斜的坛子慢慢放正。可是突然间，坛子背后牵着的链条一晃，另外六只坛子中有一只轻飘飘地一晃翻了个身。五郎顿时觉得一股大力的寒流朝自己撞来，范围很大，他无法躲避，只能被重重撞出。是的，不止是寒冷，还有力道，五郎被撞出的身体在池底的淤泥中滑过很长一段距离才浮了起来。

五郎到底是被撞昏的还是被冷昏的没人搞得清楚，反正是没了知觉，一点知觉都没有了。

这一切旁边的鲁恩看得很明白，那几个坛子的摆布有些像一个阵法，可是是什么阵法却又看不出。这么几个坛子模样的“冰精吐寒”，大小不一，悬浮排列毫无规则。相互间似乎没什么相干，偏又有链条将它们相连在一起。

肯定不是善茬子。这样看似毫无奇妙其实充满神奇的摆置，不是瞬间就给五郎套了个狠扣儿吗？再说这坎面的七个扣子都是用世上绝无仅有的“冰精吐寒”做成，这其中的玄机肯定非同小可，说不定当年瀑布里自己要找的东西就在其中。

那只翻转了的坛子恢复了原样。鲁恩再次细致考虑一番，最后选择了一个个头较大的坛子，贴着水底快速接近了那只“冰精吐寒”。他非常地小心，因为从刚才五郎被击出的情形来看，这“冰精吐寒”不仅是散发寒气，它还具有很大的力道，这力道也许是一种自然现象，相当于电、磁之类的。

总之，不管是寒气还是寒劲，鲁恩只有一个应付的办法，就是不让它碰到。他是轻轻地摸到坛子底下，然后紧贴着坛子轻轻地摸向坛子口。为什么要贴紧坛子？这样被其他坛子套扣子的可能就会非常小，因为坎面的设置一般不会将一个扣子的力道施加到另一个扣子上，也就是说，其他六只坛子不应该朝着鲁恩贴紧的坛子这边发寒劲。但是真实发生的一切并不是像他预料的那样，他沿着坛子外壁摸向坛口的手指尖稍稍撞了一下坛子颈部的凸沿，这坛子倒是纹丝没动，但是它的斜下方一只“冰精吐寒”却一个咕噜翻了身。

鲁恩觉得一股极度的寒冷挟带着一股大力猛击在他的后背上。他的身体顿时在一瞬之间便寒冷僵硬，如同死尸。僵直的身体已经由不得自己了，忽忽悠悠地就往水面上浮去。

即便是这样，鲁恩受的伤还是要比五郎轻得多。因为他看到五郎吃亏的经过了，所以有所准备。他的手指刚一触碰到凸沿，就立刻弓背缩脖，等到那力道撞到他背部时，他马上挺胸收背，这样就卸去了一部分力道。所以他受的伤害还是寒冷多过撞击。

等他快浮上水面的时候，发现水下的冰面不知什么时候已经变得极薄，有些地方都没有了。大概是因为那些“冰精吐寒”变化了位置，没有东西来维持冰层的冻结，冰面迅速融化了。没了冰层，让他不用多费周折就浮上水面，而水面上缓解了的温度也让他迅速从难以承受的寒冷中恢复过来，正巧遇上银色狸子面具的女人从池面踏水而过，便挥刀出水，轻松劈开了她的裆部。

鲁恩上来换气的一瞬间，他的眼睛很自然地看了一下自己打在石栏上的回头绳。那绳扣已经松了，这让鲁恩脑中一个激灵，于是一下想到了许多，也切实地意识到些什么。

“叠覆计数结索”，是鲁恩在一部古籍中见到的。他和鲁盛义在金华一所古宅里点出了一部叫《数道》的古籍，其中讲解的是从远古到明末各种奇特的数学计算方法。鲁恩记得有种最古老的计数方法叫“叠覆计数结索”，是通过结绳扣的方法达到计数的目的。但这“叠覆计数结索”是按一定顺序进行系扣和解扣的，如果解的时候乱了顺序，还没等解开错误的绳扣，绳索的其他部位就会又纠缠出几个绳扣。这是防止交易中遇到小人和自己记忆失误的最佳计数方式。那么下面链条连接的“冰精吐寒”是不是有和这种结索计数方式相通的原理呢？

于是鲁恩深吸一口气再次沉入水中。

到了水里，鲁恩连续变换了好几个方位对七只悬浮的坛子进行察看。突然间，他看到了一张人脸，一张巨大的人脸。这张人脸是由连接那些坛子的链条勾勒而成，而这七只大小不一的“冰精吐寒”正好充当了眼鼻耳嘴这七窍。

“叠覆计数结索”，对，如果真和“叠覆计数结索”原理相通的话，那就是要在这七窍中找出顺序来。

按传统中医面脉来论，眼观鼻，鼻观口，双耳通口喉。此七窍皆须气行，气之源皆由口喉出。从此道理上看，须是从“口”入手。

鲁恩对自己的判断充满自信，但仍是非常地谨慎小心。在选择了一个极好的角度后，他身形舒展，如一条轻巧的鱼快速接近了那只充当口的“冰精吐寒”坛子。

他的手刚抚到“冰精吐寒”的坛子，身后恰好有一根黑色巨型方柱斜斜倒下。倒下的黑柱推开一道暗流往两边涌了过来，直撞在鲁恩的后背上。人在水下暗流中，身形是最难控制的，因为没有立足点和借力的依靠。所以鲁恩连同坛子一起被推移开了两三尺。

变脸了，嘴巴的大幅度动作，一般会牵动两只耳朵，这张巨脸的变动也是如此。其实这么大的一张脸，真要有太大变化并不太容易。嘴巴动了，那对耳朵也就只是被牵着微微转动了一下，两只“冰精吐寒”的坛子口稍稍改变了一下方向。

鲁恩动不了了，他的身体像被压上了千钧的重物，四肢全都僵硬得无法动弹，身上迅速蒙起一层薄冰，因为那两只坛子口同时对准了他，两股对称而来的寒劲定住了他，两股极度的寒气冰住了他。

看来是顺序错了，第一只结扣的解除不应该由口入手，但是知道这个信息已经晚了，在坎面之中，一个错误的选择就意味着生命的终结。

关五郎被“冰精吐寒”击中后，失去了知觉，幸亏是嘴里衔着气泡呢，不然这命就没了。他是最早受的伤，却在鲁恩后面漂上水面的。

鲁盛义看到五郎，出声唤他。五郎没有回答，只是朝着鲁盛义直直地看了一眼，随即喉咙间猛哼一声，嘴里衔着的白色猪尿泡一下变得黑红黑红的。

血喷在了猪尿泡里，但五郎没有吐掉猪尿泡，因为里面还存着一两口气。下面的坎子厉害，自己刚刚飘上来时看到师父再次入水，不能让师父再出现什么意外。所以淤血刚一吐出，五郎便头颈一扭，重新钻进水中。

入水后的五郎第一眼就看到鲁恩被坎面制住，于是他全都不顾了，什么寒气、寒劲，什么链条、坛子，什么坎面、扣子，全在他脑子里丢个精光，只是挥刀往那连接的链条砍去。他认为只要砍开链条散了连接，就可以救出师父。

朴刀砍在链条上，链条当然没有断，但是制住鲁恩的那两只“冰精吐寒”的坛子突然自己封了口。

鲁恩如一个粗重的石条一般快速地往下沉。虽然摆脱了“冰精吐寒”的束缚，但如果像这样直沉入深不可测的水底，照样没有生还机会。五郎身体翻转往下潜游，他要尽快靠近师父拉住他。下潜过程中，五郎顺手又在一根短链条上砍了一刀，短链条连接的是充当两眼的寒坛。可这一砍，却让充当鼻孔的两只“冰精吐寒”阖上了坛口。是的，五郎误打误撞竟找对顺序和扣点。对家的布置真的是绝顶巧妙，他们没有将“冰精吐寒”的封口弦节放在坛子上，反而将它们放在连接的链子上。而且解这道坎面也不是从七窍下手，而是从天灵、眉心、山根、人中、双颊、双贯太阳穴依次下手。五郎恰好做对了一、二两步。

就在此时，这些链条连接的七只坛子剧烈抖动起来，接着整张脸慢慢扭曲翻转。链条一段段纠缠在一起，坛子相互碰撞推挤。脸越收缩越小，翻转的速度越来越快，最后竟扭结成一个大团，往一旁的黑暗中极速撞入。

五郎只做了一、二步，下面其他步骤没做，这就让整个坎面的寒劲力道运转得不均衡了，同时力道方向发生改变，导致设置拖拉缠裹成团。坎面只是破了，而不是解了。其实就算鲁家人知道解法，凭五郎一个人也是完不成的，因为此坎需要两处同时下手封口。

那些坛子不知道撞在什么地方，但五郎很明显地感到那个方向有大片的土石落下。他管不了这些，吐掉已经无气可换的猪尿泡，大幅度运转开手脚，快速游向师父。

鲁恩虽然下沉得很快，但五郎的游速更快，一下子就捞住了他的身躯，并踩着水带他往水面浮出。

浮出水面时，鲁恩猛然倒吸一口气，发出一声悚然的声响。

五郎惊呆了，不是被鲁恩吓了，而是被池塘上的情形吓了。

上面的两层小楼全塌了，石头平台已经踪迹全无。池塘中可以看见的房屋、墙壁、亭轩、长廊、假山也都塌了，坍塌了的废墟中有和池塘里一样墨绿的水泛漫上来。池塘周围的花草树木也全倒了，横七竖八地浮在废墟和水面上。

鲁恩随着那声吸气的声响也醒了过来。铁血刀客的生命力是极强的，只是寒劲未过，手脚还是僵硬不能动弹。稍稍转头，鲁恩也看清了面前这些情形，他没有表现出太多慌乱，而是艰难且急切地喘着气，用有些颤抖的声音说道："我们从水下往后门方向逃！"

于是五郎辨别了一下园子后门的大概方向，然后两人同时大吸一口气，再次潜入水里。在墨绿的、漂浮着许多杂物的水下，在不断有土石落下的水下，五郎携着鲁恩往后门方向潜游过去。

那个方向没有生路，不止那个方向，所有方向都没有生路，一道精钢制成的栅栏挡在他们面前。栅栏是用酒盅粗细的钢条做成，掰不弯扭不断。就如同是索魂夜叉手中钢叉的叉条，蛮横无情地将人们带入水下的鬼域。

## 七狸破

鲁天柳从正厅天井再次潜入水中，眼前出现的情形突兀可怕，让她只能下意识地采取一种策略——逃避。

她拢紧双腿急速地往水底下沉，但此时的下沉已经变得很吃力、很艰难。因为水下莫名地旋起一股股暗流，这些暗流来自周围的水域中多种怪异的力道。

鲁天柳不仅要在这暗流中克服各种方向的力道极力加速下沉，还要不断挣扎着避让那些“尸茧蠨蛸”。

“尸茧蠨蛸”和百毒尸偶是可怕的，但鲁天柳凭着灵活的动作和轻巧的“辟尘”手法还能应付。

远处那一堆黑乎乎的活物不知道是什么，它们在渐渐往这里靠近，并且不间断地发出诡异可怕的咕咕声。

鲁天柳清明的三觉能感觉到，真正的危险是来自那一股股的暗流。在暗流的作用下，她的身体开始随着那些“尸茧蠨蛸”一起盘旋起来。而且这应该才刚刚开始，她靠听觉搜索到前方湍急猛烈的水流声，触觉也强烈地感应到水流处极其强大的力量。前方暗流的中心就像一个满是刀锋的绞盘，急切地想把鲁天柳吸进去绞碎。

鲁天柳的身体越来越控制不住了，她连躲避“尸茧蠨蛸”的力量都丧失了，幸好在这暗流中，“尸茧蠨蛸”和鲁天柳是按同一个方向同时盘旋，不容易相互撞击。

不对，暗流有改变。鲁天柳听到了不一般的水声，同时她也看到了两股暗流交叉处的白亮水流，就像一把剪刀，对着鲁天柳剪切过来。这种交叉暗流的冲击力极大，鲁天柳难以抵抗，但水流的冲击还是其次，在这里“尸茧蠨蛸”搅成了一团，怎样盘旋的都有，而且还有许多的尸茧都被剪形水流铰破。这区域的水已经含有剧毒，剧毒的水里还有挟带剧毒的蠨蛸在兀自疯狂。

鲁天柳斜向朝前，被暗流的吸力渐渐拉向那个剪形水流，她的脚底已经能感觉到水流的冲击。她的身体旋转得也越发快了。

必须想办法稳住自己旋转的身形，阻止住继续滑向前面水域的势头，要不然就死定了。

一条飞絮帕从鲁天柳袖口中飞出，速度不快，就像是个在水面飘扬的柳枝倒影。飞絮帕缠住的是一根链条，拖拉水中移茔的链条。

鲁天柳的身体还是继续往前，因为链条被缓缓拉直，并没有能立刻拉住鲁天柳的身体。鲁天柳牵住飞絮帕的手臂一用力，身体猛然前进一些，随即左手飞絮帕撒出，缠住了链子的上面一段。然后右手飞絮帕松脱，甩手往旁边的一根链条缠去。随后双手一起用力，硬是将自己身体从暗流中拔出。

两根飞絮帕绷拉得紧紧地，整个移茔微微颤了颤。鲁天柳脱出了那道剪形暗流，却落入了另一个吸力更大的旋流之中，旋流的吸力几乎要把鲁天柳的手臂扯断，但是鲁天柳至少是固定住了自己的身体。

一大片的石块泥土从上面落了下来，四水归一的天井面全都塌了。大片的光线投落下来，暗绿浑浊的水域变得隐约可见。

鲁天柳在巨大吸力中尽力将自己的脖子勾起，往前面看去。她看到了一面石壁，满是青苔的石壁。看不出石壁上有什么东西，而石壁的左右和顶上不规则地排列着的七只石雕狸子头却可以看得非常清楚。

啊！在这里！自己在山塘河的那七座桥上没有找到的狸子头都在

这里呢。可是对家要这狸子头干什么，他们如果也悟出那张画暗藏的玄妙，那就应该将这些狸子头毁掉才是呀。这些是我们鲁家想拿来对付他们龙脉后裔的物什，他们又想用来对付什么？看来陆先生说的没错，这家布局是驭龙格，可这是否说明对家是假冒的龙脉后裔？

前些日子，鲁天柳和关五郎得到消息从无锡蠡湖边的一座小院中盗出画卷一幅。此画画的是七只鲤头金鱼和一只小虾，其他也就是几块石头几叶水草。这画鲁盛义才琢磨了不到两个时辰，就又被人盗抢走大半张。幸亏陆先生在余下小半张的水草上发现了似是而非的几个字“山塘，龙胆”。于是这几个字让陆先生想起一个传说，讲述了一个典故。

相传，元末时刘伯温来苏州，感到山塘河长贯卧伏在白堤前，状如巨龙，善于阴阳占卜的刘伯温预感到天下要重整，而这得天下之人必须驭龙才可成龙。于是他顺应天意，就施法在山塘桥至西山庙桥沿途的七座石级拱桥对直处分别设置了七只青石狸头，并赋予美名。“美仁狸”，在山塘桥畔；“通贵狸”，在通贵桥畔；“文星狸”，在星桥畔；“彩云狸”，在彩云桥畔；“海涌狸”，在青山桥畔；“分水狸”，在西山庙桥畔；“白公狸”，在普济桥畔。据说这七只狸有千斤巨锁功能，能牢固地锁住龙身。刘伯温破风水，锁死龙形，以便驭龙之人得手。这就是“七狸锁山塘”的传说。

看来画上的七只鲤头金鱼就是代表的七狸，而小虾代表了一条龙，却不知是否指的山塘。于是，在土生土长的陆先生带领下，鲁家人多次探访。终于寻到龙形山塘龙胆位置的这个园子，却没有找到也许可以克制对家的那七只狸头。

石壁在轻微地颤抖，是因为驱动暗流的动力就来自那个石壁。不，准确说应该来自那七个狸子头。这七个狸子头竟然蕴含了极大的能量，搅动水流急速旋转。

石雕的狸子头如何会有这样的能量？鲁天柳知道这完全有可能，她在龙虎山上就曾经听已经闭关的祖天师说过一种技法，就是借用前辈高人开光注符用以压镇某些恶物的宝贝，用意蛊驱动，就能发挥出极大能量。但这种方法很难控制，因为前者是用的道法，后者却是用的邪术。

而且明朝开国以后，有南疆来的术师将一种本命蛊咒的方法融汇其中。当然这也是一种邪术，它是将一个人的本命生辰以及血、发等物化作一符与意蛊一同注入宝贝，那么这宝贝的能量大小便与这个人的意念、体力以及血息密切相关，也可以说他的生命和宝贝的能量已经融为一体。

显然这七只狸子头也是用的此种方法。

鲁天柳知道自己要想逃出生天就必须避开这石壁，而且是和移莹一起避开。要没了牵引移莹的落水鬼领路，她逃出的希望便破灭了。但那些拖拉移莹的落水鬼显然也非常惧怕这石壁，和刚才躲避寒冷一样都远远地逃开了，不再过来拖拉移莹。所以鲁天柳只能采用另一个办法——破掉七只狸子头。

破这样能量极大的狸子头，必须选择一个合适的角度靠近那石壁。这就需要了解七只狸子头的能量发挥是怎样的一个范围和途径，然后从中找出空隙。这一点对于鲁天柳来说应该不是什么难事，她闭上眼睛，凝神静气，全身心地去感觉水域中旋流的方向和状态。

她发现了一件值得庆幸的事情，其中一只狸子头的能量在迅速下降，给鲁天柳让出一条接近石壁的路径。可这狸子头的能量怎么会突然下降？别是对家给自己放的什么诱饵。

很快，那狸子头就彻底丧失了能量，周围的旋流消失了，甚至连一点微微的波动都没有了。出现这样的情况只有一种可能，鲁天柳曾听龙虎山的祖天师说过。本命蛊咒是将人与宝连作一体，人亡则宝息，宝毁则人丧。现在这狸子头不再有能量了，说明与这狸子头性命相连的本命人已经死了。

鲁天柳一先一后抖开缠住链条的飞絮帕，这样她的身体便在旋流的吸力下，迅速往石壁的旋流冲了过去。

鲁天柳是不会冲到旋流的中心里去的，她的身体在两段力量的作用下产生翻转，再加上拼尽全力地划动和挣扎，就会侧向冲出。结果就和预计的一样，鲁天柳闯出了吸力奇大的旋流水道。

可出来后的情形却出乎她的意料。鲁天柳没有能够落入没有能量了的狸子头的范围，而是落在这范围上方的一团旋流之中。这是由两股暗流结合成的一个更大能量、更为强劲的旋流。

说实话，凭鲁天柳的能力她是万万逃不出这种境地的，但是就像老天在护佑着她一样，这两股合力的旋流突然间减弱，其中一股力量又消失了。鲁天柳的反应是极快的，她抓住这个稍纵即逝的时机，顺着力量快速消失的趋势再次奋力冲出旋流。

冲出旋流后的鲁天柳落脚在第一只失去能量的狸子头边，这只狸子头旁边紧靠着的是第二只失去能量的狸子头。

鲁天柳没有马上行动，而是往周围望去，这是要先估算一下采取行动后会出现什么后果，会不会对自己不利。虽然这水下看不太清楚，但目光所及还是可以用壮观来形容，余下的几只狸子头都分别放出数道漩涡，在这地下水域中化作许多巨大的暗流，交织在一起。

鲁天柳觉得目前的状况应该不会对自己有什么伤害，但她仍不敢离那些狸子头太近，她只是远远地将飞絮帕撒出，缠绕住一只充满能量的狸子头的根部，然后用力往自己这边拽拉。

仿佛听到一个女人的惨叫，仿佛看到一个女人在挣扎，仿佛可以闻到狸子口里冒出的血腥味道。

狸子头本是在山塘河的七座桥上，所以不是直接在这石壁上雕出来的，安放在这里肯定是采用了其他的固定方式，牢固度肯定是比不过直接雕刻的。

于是那只狸子头掉了，掉入黑色的池底，没入翻腾着的黑色淤泥中。那只狸子头带动的旋流瞬间消失不见了。

鲁天柳准备再次撒飞絮帕拉掉另一个狸子头的时候，她感觉脚下剧烈抖动起来，整个石壁开始慢慢倾斜起来。

七只狸子头不规则的排列，有很大的原因就是为了保证力量释放时各部位的均衡。所以根据各个狸头的能量大小，按不同的位置和距离布置七个狸头。现在只余下四只狸子头，狸头的巨大能量不再均衡，于是推动了整个石壁摇摇欲坠。

石壁的倾斜还有一个原因，就是这石壁似乎也突然具备了能量，这能量让它抖动起来，而且越来越强劲猛烈。石壁表面的青苔大片地掉落下来，露出雪白的石体，发出青幽幽的光泽。

石壁倾倒的趋势没能停住，它在池水的托扶下缓缓倒下。

鲁天柳没有随着石壁往下，她踩水将身体稳在原处。石壁缓缓倒下时，鲁天柳看到倒下的石壁背面有一个发出青白光泽的龙形石刻，在水波的映衬下如同活了一般。

原来这真是个“锁龙壁”，七只狸头锁住一条真龙。而现在，“七狸锁真龙”变成了龙、狸同归。

刚才四散躲开不知藏到什么地方的落水鬼突然又都鬼魅般地出现了，拉起移莹就往前游。

顶上又一大片石块砸下，不知道又是园子的什么地方塌了。泥土砖石虽然浑浊了池水，但透下的光线却也照亮了大片水域。

借着这光线，鲁天柳看清那群黑色的堆在一起并且激烈运动着的东西不是什么怪物，而是一群体型巨大的泥鳅。她曾听渔夫“带刺鼋鳖”余有刺说过，鳅鱼在一尺以下为泥鳅，在三尺以下为浪鳅，在一丈以下为天鳅，过丈则为龙鳅。这里的是一群龙鳅，一群大得罕见、绝非凡物的龙鳅。

清《水物说》[1]有："龙鳅具灵气，喜阴寒，喜钻啄泥石，声若牯，动若闪。"这就是说龙鳅动作很快，喜欢生活在有阴寒气息的水中，喜欢在泥石中打洞，而且还能发出牛鸣般的声响。

园子里大面积坍塌就是这龙鳅所为。可是怎么就凑得那么好，前不塌后不塌，偏偏就在鲁天柳他们闯进这园子就开始塌了，是否这也是天意？

移茔往前移动的速度很快，但只移动了一小段就停了下来。前面的水域是浑浊的，水色是暗绿的，这一切却阻止不了鲁天柳对那里情形的感知。她伸出的手掌感觉到水流的阻力，面积不大，却有很多密集竖道。鲁天柳的第一反应就是网，但随即就否定了自己，因为她听到落水鬼们摇动那东西的声音，应该是一道栅栏，一道精钢打制的栅栏。

栅栏肯定是结实的，否则也不可能将这么多水中神力的落水鬼关在这难见天日的水下。

上面的砖石泥土在大量落下，鲁天柳知道自己必须抓紧时间离开这里，要不就可能被埋在这水下。而且，五郎给她的猪尿泡已经瘪得贴在一起，里面没有可换的气了。

但鲁天柳不敢从这里钻到上面的园子里逃走，因为那里肯定还有好多坎面没散。如果此时爬上去，就相当于园子没塌时挖地钻出，自找的路就是死路，遇到的肯定是死坎。

只有想办法弄开这钢制的栅栏，和这移茔一起出去，这样既是最可靠的一条脱出途径，同时也算自己没有白拿坟帽里的那只玉盒。

正想着呢，那水下移茔整个墓面发出一阵白色雾气，并且越来越浓，鲁天柳在雾气中听到沙沙的响动。这情形她在上面见过，是菟丝藤又开始了一轮生长。

---

1　清乾隆时期湖南人时见忠所著，他曾官至两河管制，有机会接触民间，多与水道接触，所以收集众多资料写成此书。但此书中大多为传说，还有些是乡人、手下为了取悦他而杜撰出的故事，真实可信的资料极少。此书现存世不多，品相好的清版价值很高。

长长的菟丝藤极快地冒出来，比鲁天柳前两次见到的速度都要快。这次那些藤条没袭向鲁天柳，也没袭向龙鳅和落水鬼，而是往黑暗中伸去。

鲁天柳也跟在藤条的后面往那方向游去，远远地她就已经知道，那里有个柱子，一根圆形水缸般粗细的巨柱。

这柱子有什么用？鲁天柳是工匠家的女儿，她一眼就看出这柱子不同与水下其他的方形立柱，它应该是这所宅子一个极其重要的支点。鲁天柳同时也一眼就看出这柱子倒下的角度如果正确，就可以利用它砸开栅栏。

都说菟丝藤具备坟墓里人的灵性，这传说也许是真的。那菟丝藤缠在柱子上，而且越收越紧，都将移茔拉回了一点距离，落水鬼们肯定不允许出现移茔回头的事情，它们再次将移茔往前拉，这就变成一群落水鬼在拖拉这柱子。

那一大群龙鳅也都游了过来，继续在柱子上方的泥石中啄钻。柱子下方鲁天柳没去看也看不到，因为那里是浑浊一片。刚才倒下的锁龙壁就在这柱子根部的不远处，数道仍在旋动的暗流搅起的淤泥让这片水域像开了锅一般。

柱子在一声巨响之后缓缓倒下。巨响来自柱子根部的那团混沌，鲁天柳清明的听觉感应到那是石头爆裂的声响。锁龙壁碎了，龙、狸真的一同归去了。

柱子砸在栅栏上，将栅栏扯出了一个狭长的口子。这口子鲁天柳能够钻过去，那些落水鬼也钻得过去，只是移茔依旧无法通过。

鲁天柳游到那个口子前面，回头看看，那些落水鬼也都扑闪着眼睛一动不动地看着她，对她的离去没有一点跟从的意思。

看来这些落水鬼和移茔是同去同归的，移茔无法脱出，它们也不会逃出。它们都不走，鲁天柳也就无法辨别水下的途径。她看看自己嘴中漂浮着的猪尿泡，也许还够一口气，也许是半口气。那就再找找，找找有没有其他出路。

## 水自流

陆先生坐在花岗岩的圆鼓形石凳上，和他面对面的是他倾心了二十年的女人，那女人依旧戴着金色的狸子面具。

陆先生要坐到这个位置非常非常不容易，这里是驭龙格局的龙额，实际布置是一座假山亭。陆先生为了到达这里付出了很大的代价。

出龙须长廊，他就遇到一个巨人，高大粗壮的巨人，一只手就将他整个脑袋握在手中。然后握着脑袋的手臂往起一提，陆先生便离地而起。巨人本准备随手将陆先生摔死在旁边假山石上，幸亏陆先生迅捷隐蔽地从袖口中探出一支笔，坚决有力地将笔尖从巨人的左耳穿入右耳穿出，那是一支用来“天师点魂归阴府”的铜笔……

到达两汪龙眼水潭时，龙眼突射精光。射出的精光是许多枚“圆瞳形切镖”，让陆先生的四肢、两肋受伤无数，并且许多的镖叶都还留在他的身体上。幸亏是他用双臂护住脖颈面门，怀中的遁甲盘护住了心脉，这才能留下一口气继续前行……

爬到龙额亭前怪石小桥时，触动桥头机括，坎面动作，桥栏柱上四只兽头口中飞出四条簧尾蛇，他勉力躲避，还是有三条咬中他的脖颈，并且没再松口，蛇身直直地僵挺在那里。

现在他终于离狸子女人那么近了。女人看着陆先生，心中满是诧异，这样一把瘦弱的老骨头，生命力怎么如此顽强。

陆先生没有看那女人，他看的是旁边一张石桌。石桌上面摆放了一个大大的平底盘子，盘子里竖立着许多的裁切得很是方整的石条，从石条的润泽程度和颜色可以看出，这些都是很难寻到的上好田黄石。盘子的中间还竖立着一根圆柱形鸡血石，其红鲜润欲滴。

这只平底盘子，就是风水学里的“意形盘”，是用一盘珍奇的宝贝，按园子的主点要穴摆置，并将这些宝贝和实际的构筑都注入意形符咒，这样可以从意形盘上看出实际构筑的状态，也可以在意形盘上对实际构筑进行控制和调整。

中间那根鸡血石的石条，就是陆先生要找的盘龙柱，旁边有许多根方形田黄石柱一根压一根地倒下了，这意味着这所宅子已经有好多重要的主构已经倒塌。陆先生眯着眼盯视了一下，他看出压在最上面的这块田黄大概是在龙骨墙旁圆月门的位置，应该会被暗藏的炸药震倒的。

陆先生现在最渴望做到的一件事情是推倒那根鸡血石，这样的话这园子就彻底毁了，柱上的盘龙重出生天，鲁家的那几个人就有逃出机会了。但是他目前已经不具备那样的能力，这次他不是使诈，身体剩余的力量要保证自己还能坐在那里不倒已经非常艰难，摇摇欲坠的身体随时会从那石凳上滑落或摔倒。

女人说话了，声音依旧甜得腻人，但陆先生喜欢，这让他找到了二十年前的感觉。

“我们家是哪根皇脉你应该晓得吧？”女人的语气中很有些自傲。

陆先生重重地吸了口气，微点了下低垂的头。

“我们家建这园子是为了得一件重兴皇脉的宝贝。这你也晓得吧？”女人继续她甜腻的发问。

陆先生再次重重吸口气，却轻轻地摇了下头。

“哦，那我给你说说。我们家的老祖宗千辛万苦历尽磨难得了二件宝贝，有得道高人推算说凭此二宝子孙可屠龙成龙，但老祖宗并没有将这话明示子孙。只留下二宝和一部祖训让子孙们自己揣摩。所以几千年来虽然我家姓氏中多出能人名士，却无成就霸业者。”

陆先生的呼吸仍然是重重的，始终低垂着头，但女人说的话他没漏掉一个字。他的脑筋飞快地在转动，他又想起正屋中堂上挂的那幅画，那画上之人就是他家老祖宗？如果真是对家老祖宗，有一宝是应该的，可女人说的另外一宝是什么呢？

女人看不到陆先生的面目，所以她还是继续她甜腻的语气，继续她惊人的叙述：“虽然子孙后人脉系分支很广，但那二宝和祖训却一直没丢，始终保存完好。直至元末，我家终出一位皇祖，那是幸亏他将二宝和祖训给一位高人看了，看出其中奥妙，并扶助我家皇祖得到天下。”

陆先生的呼吸越发重了，他的思绪也更加急促地运转起来。脑子里所知的一切信息在女人的话语中连接起来，汇集成片，鲁盛义曾经告诉过他的，他认为是传奇和杜撰的一切，女人正在给他一一证实。女人已经很清楚地告诉了他，那个皇祖是朱元璋，高人肯定是刘伯温无疑，否则这园子不会出现在和刘伯温有许多渊源的山塘古河道，而且是龙形山塘的龙胆位。这番言语将陆先生震惊了。

对家是朱家，和鲁盛义所告知的一样；对家是明皇室后裔，也和鲁盛义所告知的一样；朱家是凭借宝物才登上九五之尊的，这些都和鲁盛义告知的一样。

鲁家人曾经告诉陆先生，与朱家做对头就是因为那些有大用处的宝贝，鲁家人要夺取朱家手中的宝贝破凶穴定凡疆，为世人、子孙造福。可是鲁家目前有这样的能力吗？陆先生不知道；他们鲁家人能从容面对这位及人尊的诱惑吗？陆先生也不知道。

被骗怕了的陆先生，现在对一切事情都持怀疑态度，对鲁家的动机和能力也不例外。但有些事情却是很明白很清楚的，鲁家人到目前为止，没有欺骗过他什么，也没有刻意隐瞒过他什么。

陆先生知道现在那女人说的话也没欺骗他，因为在女人眼里，他已经和死人没什么区别。对死人是没必要说谎的。

金色的狸子面具散发着淡淡的暗金色光泽，天已经快黑了。戴面具的女人依旧姿态优雅地坐着，继续用她甜腻的语调讲述着：“我家皇祖果然凭宝得天下，凭宝坐天下。只是高人依凭祖训和宝物本身，悟出其中玄机，告知我家凭借的宝贝，其中蕴含的宝气和能量已不足，渐呈衰态。要重新蕴足宝气须寻吉地祭藏百年。可我家天下怎可让与别人坐上百年，于是必须另觅他法。那异士高人遍查典籍，寻访天下，耗尽全部精气神终悟出一个法子，并将此法藏在一只玉盒之中，由我家在位之人代代相传，待气运不济时依法而施。”

陆先生的气息越来越长，越来越重，但吸与呼都很不均匀，像是随时都会停止，但此时他的思维却越发变得敏捷。

他了解明史，那是个纷乱怪异的朝代，这个朝代的种种怪异现象和最终的结局正是应验了朱家凭依的宝物衰萎之说，同时也显示了那高人的法子没能实现或者根本就不灵验。

“成祖帝夺建文帝之位，史书说建文帝靖难之役后不知所终，其实并非传言中入火海自绝，他是潜逃而出。

“在成祖帝打入南京城时，奉先殿的王越给建文帝献上一只箱子，是太祖皇帝给自己这个宝贝孙子留下的，箱子中有度牒三张，为‘应文’、‘应贤’、‘应能’，是指建文帝朱允炆、监察御史叶希贤、吴王教授杨应能。另有僧衣三套，白金十锭，玉盒一只，还有遗书一封，遗书上写的是‘应文从鬼门出，余人从水关御沟走，晚于神乐观西访会集’。”女人甜腻的话语很是清楚，似乎她亲眼所见一般，“建文帝由九人护送，登上在鬼门水道接应的神乐观住持王升准备好的船只，从此龙入大海，云游水天，一直活到46岁才仙归。逝后他手下能人集取稀世玉木，给他造一水下移茔，让他如同生前一般，依旧随流水游逸。”

陆先生又重重吁出一口气，仿佛是在表示自己明白了，可是他心中还有太多疑惑，这些秘史女人又如何知道的？

“建文帝带走了那只玉盒，其中便藏有应付宝气殆尽之法，他这一带走，朱家皇朝衰败之势就没有回转的机会了。但历代继位皇祖对重启宝气也是想尽法子。其中最具灵犀的是宣宗帝，他遍览太祖和刘基手记，从中找出玄妙，但他寻到法子后还没来得及有所行动，便患不明疾病，突然撒手人寰。临逝的辰光，留下金鱼画卷一幅和遗言一句，遗言只有两字——寻水。”女人顿了一下，不知为什么，她的神情突然间变得有些焦躁不安。“此后，继位的帝爷们都从水上下手，后来以水属阴可为女，甚至还从女人身上寻线索，却都无所得。到最后，熹宗皇祖都从祖训上寻找与祖先有关的木工活计来研究，病急乱投医了。”

陆先生又长吁一口气，难怪明代那些事情这么奇怪。明宣宗喜欢画水中鱼族，尤其是画了许多的金鱼，而且他画的金鱼外形又与众不同，很是另类。明武宗建豹房收罗各色各形女子，手下八虎搜罗各种奇珍典籍，喜外出巡游，最后是江上打鱼落水得病而死。明世宗驱宫女采集露水，结果“壬寅宫变”，差点死在女人手里。明熹宗不问朝事，专心木工，建东西二厂，收集古籍经典，研究天下各种巧妙技艺和奇珍异宝，最后也是外出泛舟落水得病而亡。这些巧合绝非那么简单，其中到底是何玄奥，只有那死去的人们自己知道。但今天从这女人口中知晓，他们至少都有同一个目的，“寻水”。

女人的语调显得更加烦躁，优雅的坐势也有点变形：“十年前，我们偶然找到与建文帝一同逃出的叶希贤的后人，从他们家的祖宅里掏出镇宅三宝，找到了建文帝移茔的线索。这才在此处建下园子，困住建文帝移茔。可是没想到，其移茔竟然有落水鬼、巨型龙鳅、吸血菟丝藤三种奇异怪种护住，花费了我家多少工夫精力都没有能掏开那个移茔，寻到玉盒。

“后来经高人指点，上布驭龙格，下设囚龙局，用盘龙柱压龙尾，用七只‘冰精吐寒’封龙七窍，盗来七只石狸注本命咒做成七狸锁龙壁，要让这条死龙的龙气耗尽，然后再取龙宝。”女人喘了口气，她也不清楚自己的胸口怎么会如此压抑，喉咙口发干，连憋出的甜腻声调中都带有一些怪腔调发出。

听到此处，陆先生心中那是真叫得意啊！虽然他是听面前这女人传消息后才带鲁家几人来到这个园子，但来之前他对鲁家手中那小半张画的分析和判断，经刚才那女人一番讲叙的验证，却是十分准确的。

但这宅子也真是不简单，其中还有许多相格布局他都没能测算推理出来。原来在驭龙格下面还有个囚龙局，七狸锁龙身，七寒封七窍，一柱压龙尾。如此精妙的布置，却这么多年都没掏出移茔龙坟里的一点小东西。看来那条死龙如此强劲，龙气不散，真的有些不可思议。

“我将自家这些秘密都告诉你，是想你帮我理一理。现在这场面控制不住了，落水鬼上岸，菟丝藤冒头，龙鳅钻洞，冰层融裂，土石崩塌，这些到底是什么原因导致？鲁家是不是有什么我们一直不知道的绝妙高招，今天才施展出来？”女人看着陆先生，期待一个答案。

陆先生不是傻子，也许以前有人把他当傻子，但现在坐在这里的他绝不是傻子。他知道那女人之所以告诉他这些秘密，就是因为他已经快死了。就算进了园子后所有受的伤害不能让他死，面前这个女人也会亲手杀了他。

但是陆先生现在迫切地想说话，说出自己的推断和结论。面前可能是他有生之年破解的一个最大的局，这将会成为他一生的骄傲。欲望与冲动让陆先生胸口气息猛地一提，随着喷出喉咙口的气流，一连呕出十几口紫黑淤血，腥臭无比。

对面的女人在尽量掩饰自己的神色，一双狐狸般的媚目微眯着盯视陆先生，只是目光中的一些东西总是无法掩藏的。

缓缓抬起头的陆先生看到了，他浑浊的目光轻易就看出女人眼中的困惑、痛苦、艰辛。

呕出了淤血，陆先生反倒觉得喉咙口一松，嗓道变得通畅许多。他试着轻咳一声，竟然能够发出声音来了。

他眼睛瞟了一下咬住自己脖颈的簧尾蛇，那些蛇挺得直直的，早已僵死，看来是因为瞿雎鸟屎的毒性大过了簧尾蛇，这蛇被毒死了。但簧尾蛇的毒素也极强，这对陆先生原先中的瞿雎鸟屎的毒性起了以毒攻毒的效果，所以他喉咙处淤积的毒血松了窍。

“你家没有了镇物！”这是陆先生能说话后的第一句话，用的是不太纯正的北腔官话。这话说得有些激动，有些洋洋自得。

“你家这园子取驭龙格压囚龙局，中立盘龙柱钉龙尾固龙身。这样的布局不知是什么人所摆，但真是绝妙无双，真可称得古今第一局。这里要是用来伏困一个命相为蛟、为蟒之人，那人就算成仙成魔也万难翻身，但如果是用来伏困一条真龙，那就还要有一个让真龙害怕的镇物。”陆先生的身躯还是那样颤颤巍巍，但话语却是极其清晰流畅。

“刚才闻你所言，好久以前就围住移茔，一直没有出现目前这样的情形，说明原来你这里有镇物，你们家这两天是否丢失什么珍奇宝贝？”陆先生又深吸一口气，然后缓缓呼出。

“你刚说朱家有两宝，子孙凭宝屠龙成龙，我猜想着朱家祖宗与屠龙有关，那么有一宝应该是屠龙之物，这一宝可以镇住真龙。你们家是不是丢了这宝贝？”

陆先生的分析很到位，语调很清亮，气息很悠长。但这样一个现象女人没有注意到，因为她正在思考陆先生说的话，同时也在忍受身体的不适。

哦，原来是这样。女人心里有底了。宝贝没丢，是她儿子带走了，带了去对付破了北平宅子的那个年轻高手。既然是少了那宝贝做镇物，那这里看来是保不住了，自己便也走吧，来日方长，改日卷土重来，只需让人跟住那个移茔就是了。

“没了镇物，龙气升腾欲突，那就肯定会出现落水鬼上岸、菟丝藤出土、龙鳅钻洞等现象，下层土石被龙鳅、菟丝藤钻落，才会有暗藏火药反向爆破，炸倒撑园立柱。你这园子现在这番光景也属意料之中了。”陆先生继续他的分析推断，虽然他的手脚无力动弹，但嗓音倒越发响亮了些。

女人知道自己下面要做什么，就是让面前这个已经快死的人带着听到的秘密永远沉默，和死人一样的沉默。她看了看周围，为了这番交谈她遣走了周围所有的人，看来这事情必须自己亲手去做。

陆先生从女人焦躁、不安、痛苦的眼神中看出了杀意，他知道女人的痛苦和不安不会是因为自己将要死去，如果真是那样的话他心甘情愿去死。

死对陆先生来说并不可怕，往这龙额亭来时，他就没准备活着出园子，但现在还不是死的时候，不管怎么样，自己都要缓过一把劲来，想法子把那意形盘里的盘龙柱给推了。

“本命蛊咒，这种邪法强过对头则盛，弱过对头就会自取其害。那七只狸头中不会也有你的本命符咒注入吧？”陆先生说这话本来是要拖延时间，但这话一说完，他自己就一愣，为什么不会有这女人的本命符注入？那被困的不管怎么样都是条真龙，虽然已经是阴龙，但那不散的龙气却是需要圣阴灵气牵制。七只狸头中注入的肯定都是女人的本命符，而且绝不是普通的女人。这个太后肯定也在其中，不管是真是假，她多少搭点边算是凤体圣阴。

女人对陆先生的话没有任何表示，她的表情更加痛苦。

女人的情况确实不妙，这一点她也知道；她还知道，自己目前的情况让杀死陆先生这件事变得困难和迫切。

陆先生的情况更不妙，刚才断断续续的大换气让他提起些精神。但练气的人是很了解自己的身体的，陆先生也一样，他现在的状态只是回光返照。

女人的杀意渐渐浓了，这样的杀意是慢慢积攒起来的，这对于她来说很不正常。这女人杀人本来是极其轻松的事情，但杀人除了意愿还需要能力，她现在更多的是在积攒杀人的能力。

陆先生也在挪动身体，极力地往“意形盘”那边靠拢。他为了移动将呼吸变得急促，但口鼻间并没有白色气息凝结。底气散了，陆先生知道自己只剩这一口气在维持着自己不死。

女人想站起身来，她从陆先生艰难的动作中看出了他的意图，可只往前探了个身就止住了，变作半站半蹲在那里。此刻的她身体在剧烈地颤抖，嘴巴半张着，嘴唇变得干涸，额头和面颊倒是极其湿润，因为上面布满了冷汗。

两个人对视着，这一瞬间他们彼此是那么了解对方，完全清楚对方的企图和打算。他们是真正的知己，不管以前他们之间所谓的知己是真是假，此刻，他们的确是真正的知己。

女人肯定后悔了，面前这个人曾经被她掌握在手，却没好好利用，要不然今天也不是这样一个结局。而陆先生肯定有太多感慨，没有面前这样一个女人，自己还是个市井中无处施展才能的低劣风水匠。

两人几乎同时发出一声低吼，便紧紧拥抱在了一起。

陆先生的双手死死搂住女人的后脖颈，将她的脸贴在自己的脖颈间，就像二十年前那个夜晚一样。所不同的是今天他颈部处叮咬着三条簧尾蛇，簧尾蛇坚硬如钢的尾部深深刺入了女人面具无法遮盖的眼睛，并从左眼直刺入脑中。女人的眼中是一片血红，血红渐渐变作暗红，最后变作一片黑暗。

女人的左手牢牢圈住陆先生的后背，右手拇指呈钻形抵在陆先生心脉之上。陆先生感觉到心脏破裂的疼痛，他感觉到身体中血流往浑身毛孔散去，不再流回心脏。

陆先生所有的力量耗尽了，右肩一松，手臂从女人脖颈处甩落下来。而他最后的一点心火还在那“意形盘”上，顺着手臂落下的惯性，往“意形盘”那边伸了伸，一带而过的手指尖让鸡血石柱“叮当”一声倒下。

盘龙柱倒了，随之而来的是地动山摇，园子全塌了。

房屋倒塌了，树木倾折了，土石下陷了。园子和园子周围的屋宅、桥道都慢慢地沉没。

五郎和鲁恩在水下，他们的头顶上一大方巨大的土石黑压压地覆盖下来。前面是牢不可破的精钢栅栏，身后漫长水道不知道是否已经被土石填满。这两人进退都是死路。

鲁天柳虽然已经钻出了栅栏，但是前面是黑茫茫的漆黑水域，不知道该往什么方向而去。移莹出不来栅栏，落水鬼也就不愿出来。没落水鬼给她领路，也就意味着鲁天柳没有活路。

只有一个人可以救他们，那就是还在上面园子里的鲁盛义。鲁盛义的一只膝骨已经碎了，所以他只能手脚并用着前行。面前倒塌的墙是“断龙栅”已经确定无疑了，这地面上没有可断之龙，这也是确定无疑的。那这个“断龙栅”到底起什么作用？墙尽倒，栅不见，只有一个可能，这栅栏往下去了，它要断的是下面的龙。

不管怎么样，得起了这道栅，解了这道坎，不能再让对家的任何一个手段得逞。自家至少有个五郎在下面，不知道为何，他的意识中似乎遗忘了鲁恩的存在。

这是个痛苦的过程，他的膝盖一动就剧烈疼痛，这疼痛像是根巨大的尖刺，刺入他的心，刺入他的脑。他爬过四五十步，在碎砖堆中找到一根紧贴住院墙而立的花岗石六檐亭顶灯柱。此时他已经被膝盖的疼痛折磨得快昏厥过去，但还是极力保持清醒，在灯柱上踅摸起来。

他没有找到一点坎面的弦口，难道这灯柱不是“断龙栅”的栅栓？不会呀，一般的栅形坎面都会有几处栓位，这是因为栅坎的范围较大，距离较长，不可能及时跑到一个特定位置，所以会设置多处栓位，而且是一栓动，全坎俱动。他没往这边爬行之前往另一个方向看了看，至少在二十步内没发现栓位。而他往这边爬出有四五十步，两边加起来有六七十步了，这距离应该设个栓位。

他又仔细查看了一遍整个灯柱，突然注意到亭顶下的蜡烛，于是一把将蜡烛从亭顶下扯出。灯柱没有反应，坎面也没有反应。

对，这坎面布设不会这么简单，鲁盛义再次凑近灯柱的六檐亭顶，他有了发现，放置蜡烛的位置上有一个小孔，刚才蜡烛竖在上面将这孔遮住，无法看到。弦口应该就在这孔中！

鲁盛义从木提箱暗屉中掏出一支竹管，拔开管帽，倒出几支钢针。这些钢针粗、细、长、短、硬、软、弯、直、滑、勾俱全，这是一套坎子家布坎穿弦的专制工具。鲁盛义选出一根韧性十足的细软钢针，往那小孔中间插下去。

针只下去了一点，鲁盛义轻轻捻动针杆，改变插入方向，针又稍下去一点，但此后无论他怎么努力，针都下不去了。

鲁盛义长叹一口气，把针拔了出来。“九曲盘折孔”，这种弦口设计就是专门用来对付鲁家这套钢针的。针下不去，弦口压不住，坎面是没有可能解开的。

这时候，整个园子都抖跳起来，不时有树木、廊架轰然倒下。旁边的房屋渐渐倾斜了，屋顶上大片的瓦片滑落下来。

鲁盛义只是怔怔地看着面前的那个孔。自己的针抵不开弦口，那么有什么重物可以转九曲之弯抵开弦口？

一棵香樟在鲁盛义旁边倒下，枝条撞到他的膝盖，他疼得一个激灵，回身用手将自己那条受伤的腿从枝条下拉出。这一回身，一只球从鲁盛义的怀中掉出。一见到这球，鲁盛义便完全忘记了所有的疼痛，开心得恨不得蹦起来。

“循坡球”，球是没用的，球里灌的水银却正是可以转过九曲之弯的重物。

鲁盛义想都没想，拿刻刀敲开磁烧的“循坡球”，有力的大手稳稳地托住开口了的球，往那孔上凑去。

又一棵泡桐砸下，粗大的枝条砸在鲁盛义的大腿上。鲁盛义发出一声长长的惨呼，撕心裂肺般，在刚刚降临的夜幕里久久回荡。但是，他握住“循坡球”的手没有一丝抖动，水银毫无偏移地注入那孔中。

“断龙栅”升了上来，鲁盛义挺立着的上半身颓然倒下。泡桐宽大的树叶将他轻轻掩上。

## 水自流

落水鬼拉着移茔，龙鳅在移茔后簇拥着，速度极快地往黑色的水域中游去。站在移茔上的鲁天柳很快就听到上面水流的声音，也从水中闻到了清新的味道，于是她脚下一蹬，往水面上浮去。

鲁天柳从水中钻出时，天色已经快黑透了。她的面前已经没有了园子的踪影，只看到一道窄窄的墨绿水道在废墟中流过。

远处有半截假山还支棱在水面上，假山顶上的亭子顶都没了，就剩亭柱还歪扭着竖立在那里。和亭柱一起立在那里的还有两个人，那两个人紧紧依靠在一起，就像分不开了一样。

天色虽然很暗，鲁天柳还是看出其中一个是陆先生，她高声叫了几声，可陆先生却没有丝毫反应。

一只小舟顺着水道划来，鲁天柳看到划船的是五郎，便靠拢过去，搭住船沿翻身上船。船舱中已经点着了一只炭炉，鲁恩祖露着满是伤痕的上身，坐在碳炉旁边发抖。

鲁天柳上了船，感觉到彻骨的寒冷，但她没有进船舱，也没有说话，只是深深换了两口气，口鼻间凝结起一团淡淡的雾气。她清明的三觉再次进入忘我的境界。

亭子上的两个人已经没了声息，鲁天柳两行热泪流下，将陆先生好好留在了心里。

废墟中到处都有呻吟声。这些虽然在废墟的持续倒塌声和水流的喷涌声中很难听清，但鲁天柳没有漏掉任何一处。

左前方一棵倒折的泡桐树枝叶下传来的呻吟声很熟悉，应该是自家老爹。于是鲁天柳一个纵身跳上了废墟堆，掀开了泡桐的枝叶。船上的五郎也看到了，他马上停住船，也纵身跃上废墟。

枝叶已经将鲁盛义刮刺得血肉模糊，最严重的是一根粗大的枝干压住了大腿，无法动弹。

五郎砍开枝干，将鲁盛义背到船上，放在船舱里。

船在河道上行驶，躺在鲁恩旁边的鲁盛义却一直昏迷着，如同死人一般。鲁天柳试了试他的鼻息，气息很稳，于是将悬着的心稍稍放下。

船很快，转眼间驶出支流，进入山塘河，直往姑苏城外驶去。

这时才远远地传来一些人的呼号声，是周围的居民邻里赶到这里来扒墟救人。

在废墟中的一处水洼边，一只石头雕刻的狸子头歪扭着望向天空，如此地专注似乎是在思考着些什么……[1]

水下移茔由于在园子坍塌中遭砖石砸击，茔上玉木松动剥落，逐渐露出水面，后在吴县一河道边搁住，被人发现后将其移至穹窿山皇驾庵后的小山坡重新安葬。

这一天，《姑苏城志》[2]记下："山塘河支道突涌怪流，伴地裂，疑为地下泉突。毁豪园一座，邻屋无数。"

乘夜，一叶小舟冲入了太湖水域，往无锡方向而去。

鲁盛义始终没有醒来，就是五郎给他换上干衣，鲁恩给他固定伤骨，他都没有一点反应。

鲁天柳坐在船头，她已经换了一身酱红色的棉袄棉裤。冬夜的寒风

---

1　这只狸头至今完好保存在苏州博物馆。

2　记载苏州从古至今发生的各种大事。据说总共有五十多册，本存于胥门内子胥祠中，抗战时期子胥祠遭日军飞机轰炸着火，本书也一同化为灰烬。

没有让她感觉到一丝寒冷，大概是因为在寒水中泡了太长时间的原因，她的双颊反倒是有些发烫。

她的手中捏着从移茔坟帽中取出的那只玉盒，她不知道这是不是阿爹要的东西，她也不知道这有什么用场，但是那温润的玉盒捏在手中感觉很舒服。

有人在看她手中的玉盒，而且还不止一个人，鲁天柳清明的三觉能感觉到这些。这样的窥视让她觉得很不自在。

此处已经是太湖十八湾水域，夜色中隐约可以看到岸边的龙山。离家很近了，这里再过去一点就是阳山地界。

忽然，一声刺耳悠长的唿哨声响起，远处枯黄的芦苇丛里出来一条不大的渔船，迎着他们的船头直冲过来。

几乎是同时，旁边又一条较大的渔船从水雾中闯出，闷声不响地从侧面向着他们冲过来。

鲁天柳迅速站起身来，露出一股从生死瞬间的大阵仗中闯出的人才有的镇定。

可是又一声唿哨声让鲁天柳的心猛然收紧，这唿哨声离得太近了，就在自己的船上，就在自己的身后……

# 激发个人成长

多年以来，千千万万有经验的读者，都会定期查看熊猫君家的最新书目，挑选满足自己成长需求的新书。

读客图书以“激发个人成长”为使命，在以下三个方面为您精选优质图书：

## 1、精神成长

熊猫君家精彩绝伦的小说文库和人文类图书，帮助你成为永远充满梦想、勇气和爱的人！

## 2、知识结构成长

熊猫君家的历史类、社科类图书，帮助你了解从宇宙诞生、文明演变直至今日世界之形成的方方面面。

## 3、工作技能成长

熊猫君家的经管类、家教类图书，指引你更好地工作、更有效率地生活，减少人生中的烦恼。

每一本读客图书都轻松好读，精彩绝伦，充满无穷阅读乐趣！

## 认准读客熊猫

读客所有图书，在书脊、腰封、封底和前后勒口都有“**读客熊猫**”标志。

## 两步帮你快速找到读客图书

1、找读客熊猫

2、找黑白格子

马上扫二维码，关注 **“熊猫君”**

和千万读者一起成长吧！